MY
LITTLE
PARIS

Le Paris secret des parisiennes

MY LITTLE PARIS

Le Paris secret des parisiennes

chêne

Pour faire un livre, il faut :

**SORTIR
DE CHEZ VOUS**

Fany Péchiodat,
Exploratrice et fondatrice
de MyLittleParis

TROUVER L'INSPIRATION LÀ OÙ ELLE VOUS ATTEND

Amandine Péchiodat,
Responsable éditoriale
et rédactrice

Anne-Flore Brunet,
Rédactrice mode et beauté

**SAVOIR METTRE UN PEU
D'ORDRE DANS TOUT ÇA**

Catherine Taret,
Chef de projet livre
et rédactrice

**CAPTER TOUT,
TOUT LE TEMPS, PARTOUT**

Kanako Kuno,
Illustratrice

**SAVOIR À QUOI RESSEMBLE
HELVETICA BOLD 12**

Mademoiselle Lilly,
Directrice artistique

Mélangez tout ce petit monde,
laissez-les débattre, se battre,
se réconcilier, défaire et refaire le monde,
changer 54 fois d'avis…

… ET VOUS OBTIENDREZ UN LIVRE.
SIMPLE NON?

AVANT-PROPOS

Ce livre n'aurait pas vu le jour si :

Fany n'avait pas poussé la porte du 39 rue de Bretagne et goûté le meilleur jus de goyave de sa vie.

Amandine n'avait pas pleuré le 3 avril 2008 car elle venait de se faire licencier.

Kanako n'avait pas pris un avion le 2 mai 2005 avec la ferme envie de dessiner des Parisiennes.

Anne Flore n'avait pas été dans la voiture de Fany lors de son 4ème passage (et échec) du permis de conduire.

Céline n'avait pas fait une indigestion de courbes financières.

Catherine n'avait pas eu le 2 février 2010 une furieuse envie d'écrire en regardant par sa fenêtre.

Mademoiselle Lily avait besoin de dormir plus de 4 heures par nuit.

Un homme à lunettes n'avait pas été notre « yes you can ».

Georges n'avait pas rencontré Chantal au bal de Nogent le 7 juillet 1968.

Volcy n'avait pas laissé un message sur le répondeur de Fany pour lui proposer d'éditer un livre.

TO DO LIST

to do list des choses à faire à Paris

√ Dîner dans un resto qui n'a qu'une table

√ S'envoyer un mail à soi-même dans 10 ans

√ Confier ses escarpins au cordonnier de la Fashion Week

√ Avoir des murs trompe-l'œil

√ Se confier par téléphone à une inconnue

√ Maigrir sans régime

√ Avoir son bout de potager

√ S'offrir une fish pedicure

√ Faire cloner ses vêtements préférés

√ Collectionner les objets tombés du camion

√ Manger des pâtes vivantes

√ Louer une piscine privée à l'heure

√ Se meubler en décors de cinéma

√ Avoir un orgasme par semaine

√ Sillonner les stocks secrets de Paris

√ Être sauvée par des agents anti-stress

√ Se faire masser les pieds à domicile

√ Servir de cobaye à un chef étoilé junior

√ Adhérer au Mile high club

√ Savoir dire merci

√ Manger une pizza aux truffes

√ Déguster un dîner qui voltige

√ Être une star d'intérieur

√ Se faire épiler les sourcils au fil

√ Jouer les puristes

√ Se faire livrer des petites culottes

√ Perdre la raison pour un fromage italien
√ Retrouver le cercle des poètes disparus
√ Fouiner des objets de déco
√ Porter un chapeau créé pour soi
√ Apprendre la chorégraphie de Dirty Dancing
√ Boire un cocktail dans un petit coin de campagne
√ Avoir un cocktail à son nom
√ Redécouvrir les légumes oubliés
√ S'habiller (presque) haute couture
√ Arrêter les gaffes alcoolisées
√ Se faire masser dans le décor de L'Amant
√ Accepter une demande en non-mariage
√ Transformer ses enfants en Picasso
√ Assister à une messe de gospel comme à Harlem
√ Se payer une tranche d'extase
√ Avoir un coach vintage
√ Piquer des expressions de grand-mère
√ Les 4 saisons du brunch
√ Transformer son appartement en beau livre
√ Assister à un procès fou
√ Se faire déménager par des anciens taulards
√ Être l'invitée d'un dîner clandestin
√ Chasser le blues du dimanche soir
√ Se faire livrer ses produits frais de Rungis
√ Prendre une bouffée d'inspiration
√ Trouver la lingerie qui va vous changer la vie

MISSIONS

Petites missions faciles pour
bousculer votre routine à Paris

MARCHER
AVENUE MONTAIGNE
NUE, SOUS VOTRE
IMPER

MONTER DANS UN
TAXI ET DIRE
" SUIVEZ CETTE
VOITURE ! "

PRENDRE
L'ASCENSEUR AVEC
" L'HOMME
DE L'ASCENSEUR "
AU MARCHÉ
SAINT-PIERRE

FAIRE UN TRAJET
EN MÉTRO
DANS LA CABINE
DU CHAUFFEUR

PRENDRE
UNE COUPE DE
CHAMPAGNE TOUTE
SEULE AU BAR D'UN
GRAND HÔTEL

ECHANGER SON
APPARTEMENT
AVEC QUELQU'UN
PENDANT UN
WEEK END

NE DIRE
QUE DES PONCIFS
ET DES CLICHÉS
PENDANT TOUTE
UNE SOIRÉE

ARRIVER AU
" DÎNER EN BLANC "
HABILLÉE TOUT
EN NOIR

13

la tete dans les olives

Dîner dans un resto qui n'a qu'une table

Lui ? Trop coincé. Elle ? Trop bavarde.
Il va vous falloir réfléchir vite pour dresser la liste des 4 happy few que vous allez inviter à la table d'hôtes de Cédric Casanova. Le Sicilien aux meilleures huiles d'olive de Paris vous invite à ripailler dans son laboratoire : *La Tête dans les Olives*.

Au milieu de sa boutique, privatisée pour vous, une seule et unique table que vous pouvez réserver pour 5 personnes. Il faudra donc que votre cercle d'élus mérite sa place : attendre sagement la dégustation d'huiles d'olive, honorer les betteraves à la ricotta salée et l'aigre-doux de potiron à la palermitaine, respecter la délicatesse du carpaccio à la bresaola de thon. Et rester poli quand débouleront sur la table les olives grosses comme des boulons et les câpres frétillantes.

Une fois votre liste dressée, il ne vous reste plus qu'à réserver, à mettre vos 10 pieds réunis sous la table et à faire chauffer l'amitié !

La Tête dans les Olives
Table d'hôtes unique dans la boutique
2 rue Sainte-Marthe - 75010 Paris
Métro Colonel Fabien ou Belleville
Tél. 09 51 31 33 34
Réservez à latable@latetedanslesolives.com

Dear FutureMe,

Don't ask Brandon out. Ever!

WRITTEN: December 20, 2005
SENT: December 20, 2006

Arriving at Finisterra having walked there from Le Puy... I should have
turned left and gone to Portugal, not right and returned to Scotland... I
have never felt so well, in both mind and body, my life was never filled
with so much potential...

- - - - - - - - - -

Sleeping beside my camp fire in the Namibian bush.

WRITTEN: December 31, 2005
SENT: December 31, 2006

I guess you have kids as well. Be fair to them. Try and put y
mind. Don't do anything they wouldn't want. Although tha
the best advice. *imagines what life would be like if MY pa

Anyway, I hope you have a wonderful birthday, and I hope
last 25 years to good use.

Love,
PastMe

WRITTEN: February 20, 2006
SENDING: November 06, 2031

Needless to say, the very second I realised that I had attained this com-
fortable state I set about getting rid of it all.

- - - - - - - - - -

Aegean, night, fishing boats: I remember sitting on the shore of Naxos
Island, a warm night and a full belly, out at sea I watched the distant
soundless lights of fishing boats moving to and fro...

- - - - - - - - - -

Paris, a night of wild sex with two beautiful women. Nuff said...

- - - - - - - - - -

FutureMe,

utureMe,
e I am still with David, because I am going to
his name tattooed today. So if I'm not, I'll prob-
y be laughing when I read this.

RITTEN: February 18, 2006
ENT: April 01, 2007

Dear FutureMe,
Don't ask Brandon out. Ever!
WRITTEN: December 20, 2005
SENT: December 20, 2006

S'envoyer un mail à soi-même dans 10 ans

« *Cher futur Moi,*
Quand j'ouvrirai ce mail, 10 ans se seront écoulés.
J'espère que d'ici là, j'aurai quitté ma chambre de
bonne pour un loft et que j'aurai écrit ce fameux livre
qui va me rendre célèbre. J'espère aussi que je serai
encore avec Matthieu car je viens tout juste de me faire
tatouer son nom sur l'épaule. »

Vous avez une promesse à vous faire, un sentiment à
graver pour la postérité, un objectif que vous ne voulez
pas oublier ? Envoyez-vous un mail à vous-même via le
site Future Me et choisissez-en la date de réception,
dans quelques mois ou des dizaines d'années.
Rendez-vous dans le futur.

www.futureme.org

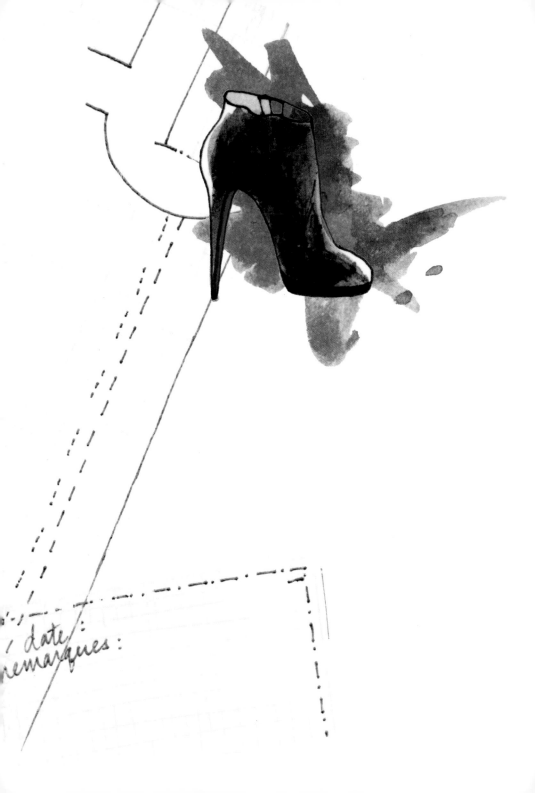

date :
remarques :

Confier ses escarpins au cordonnier de la Fashion Week

La Fashion Week c'est comme un marathon. Pour tenir le rythme, il faut prendre le temps de bien s'hydrater, en sirotant régulièrement des coupes de champagne, et surtout avoir des chaussures adaptées au terrain : 15cm de Louboutin. Si, si. Seulement, même 15cm, ça finit par s'user.

A quelques minutes du bal, les Cendrillons se précipitent chez Minuit moins 7 pour réparer leurs escarpins préférés. Cette cordonnerie artisanale est la seule au monde à pouvoir remplacer les authentiques semelles rouges de Christian Louboutin, dont la boutique est d'ailleurs à deux pas. Ici on peut sauver n'importe quelle paire : faire disparaître les traces de cocktail, remplacer un talon ou élargir des bottes. On trouve même des crèmes pour nourrir les cuirs de toutes les couleurs de l'arc-en-ciel.

Ce n'est pas donné mais ils sont irréprochables. Le genre à vous filer des trucs, comme marcher 10 minutes tous les soirs en chaussettes mouillées avec vos talons, pour se sentir comme dans des chaussons à la fin.

Et pouvoir continuer de trotiner.

Minuit moins 7
10 passage Véro-Dodat - 75001 Paris
Métro Louvre-Rivoli
Tél. 01 42 21 15 47
Pour toutes les marques de souliers
Compter une semaine et 94€ pour le remplacement d'une semelle rouge

AMITIÉ

ON A TOUS UN(E) AMI(E)...

AU RÉGIME

Maudit Nutella

....

JAMAIS LÀ

....

QUI SE LA JOUE

....

QUI A UNE MAISON EN NORMANDIE

....

POUR DÉPRIMER LE DIMANCHE SOIR

Tu crois qu'il va m'appeler?

....

TOUJOURS AU TÉLÉPHONE

Attends quitte pas, j'ai un autre appel

....

QUI NE PENSE QU'À ÇA

Jean-Yves : 15/20

....

JAMAIS STRESSÉE

Relax poulette

....

QUI VEUT QUITTER PARIS

Demain je plaque tout

....

BOULET

*J'ai perdu mes clefs,
je peux dormir chez toi?*

....

SURBOOKÉE

*J'ai un créneau le 16 avril
de 22h à 22h30*

....

**QUI A SES ENTRÉES
AU BARON**

....

**QU'ON NE CROISE
QU'AUX SOIRÉES**

....

TOUJOURS CÉLIB

*Les femmes ne savent pas
ce qu'elles veulent*

....

**QUI VEUT ÉCRIRE
UN LIVRE**

Je m'y mets demain

....

**QUI NE SAIT PAS CE
QU'ELLE VEUT**

Oui... Mais non

....

21

Avoir des murs trompe-l'œil

Vous êtes bien dans votre chambre de bonne perchée au 7ème étage avec vue sur la Tour Eiffel (si si, en se penchant...). Bien, mais à l'étroit. Vous rajouteriez volontiers une bibliothèque, un lustre, une jolie table. Mais en toute logique, il faudrait pousser les murs. A moins de jouer sur l'illusion !

C'est la vocation de *The Collection*, une petite boutique surprenante dénichée dans Le Marais, où vous pourrez trouver stickers délirants et papiers peints photographiques bluffants pour rhabiller vos murs du sol au plafond.

The Collection
33 rue de Poitou
75003 Paris
Métro Saint-Sébastien-Froissard
Tél. 01 42 77 04 20

Kanako

Se confier par téléphone à une inconnue

« Mon nom est Sophie Calle.
Vous êtes dans ma cabine téléphonique.
Je suis seule à en connaître le numéro.
Je le composerai régulièrement,
mais de manière aléatoire,
dans l'espoir d'avoir quelqu'un au bout du fil. »

Ces quelques lignes sont gravées contre une cabine téléphonique perchée sur le Pont du Garigliano. Sophie Calle, l'artiste française agitatrice de pensées, en a eu l'idée en s'inspirant d'une cabine téléphonique plantée dans le désert qui attirait les foules. Ainsi, à n'importe quel moment, elle peut composer le numéro et faire sonner le téléphone, qu'un passant du hasard finira par décrocher. S'ensuit une conversation sur rien, sur tout, sur lui, sur elle, de 3 secondes ou d'1 heure.

Serez-vous le prochain à décrocher ?

Cabine téléphonique de Sophie Calle
Sous la sculpture en forme de fleur du Pont du Garigliano
Métro Balard

Une autre idée farfelue que Sophie Calle a testée pour vous.

En 1983, Sophie Calle trouve un répertoire téléphonique abandonné par terre à Paris. Elle en fait une photocopie avant de le renvoyer de façon anonyme à son propriétaire, un certain Pierre Baudry. Puis elle appelle toutes les personnes inscrites dans le répertoire pour se renseigner sur l'inconnu et publie dans *Libération* une série d'articles sur Pierre Baudry, sur la base des témoignages recueillis auprès de ses proches, amis et connaissances.

Sophie Calle, Double Jeux, *Actes Sud 1998*

Maigrir
sans régime

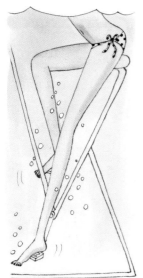

Kanako

Pédaler sous l'eau

En surface, tout paraît calme. Vous barbotez dans une piscine aux airs de jacuzzi douillet. Pourtant, en profondeur, ça turbine. Vous donnez tout et vos jambes s'en souviendront. C'est quoi cette nouvelle sensation ? C'est l'Aquabiking, le traqueur de cellulite.

Vous glissez dans votre bikini, plongez dans la piscine, et vous chevauchez des vélos fixés au sol. Vous pédalez pendant 45 minutes dans l'eau, qui en massant votre corps, gomme beaucoup plus efficacement la cellulite.

Cours d'aquabiking
30 € le cours de 45 min, serviette prêtée sur place
25 € le cours en cas d'abonnement pour 10 séances
(voir l'adresse page de droite)

Fondre en roupillant

La version ancestrale : au Japon, il y a quelques siècles, les Japonais s'enterraient dans le sable chaud pour éliminer les toxines de leur corps.

La version contemporaine : on se glisse nue dans le Iyashi Dôme, sorte de tunnel moelleux où la chaleur arrive doucement. La tête reste à l'extérieur, ce qui permet de respirer l'air ambiant. On ferme les yeux et on fait une petite sieste de 30 minutes, pendant que notre corps, par effet de sudation, prend congé des toxines et des calories.

La maison Popincourt
4 cité Popincourt
75011 Paris
Métro Saint-Ambroise
Tél. 01 43 38 96 84

Iyashi Dôme
Prix d'une séance de 30 minutes : 45€

Kanako

"J'adore les choses que
je ne comprendrai jamais"

Amélie Nothomb

Avoir son bout de potager

Le vieux fantasme : « *Tu vois, un jour je lâcherai Paris et j'irai me planquer à la campagne, j'élèverai des chèvres et je cultiverai des tomates dans mon jardin...* ».

Pour les chèvres, on n'a pas encore trouvé, mais pour le jardin, c'est réglé : à portée de quartier, une cinquantaine de potagers s'offrent à vous pour planter vos choux et cultiver vos fleurs tout au long de l'année. Il vous suffit de contacter l'une des associations en charge du jardin partagé que vous convoitez pour en devenir membre. Vous pouvez également participer aux événements organisés par les potagers : soupes collectives, cafés-jardins, pique-niques improvisés...

www.jardinons-ensemble.org

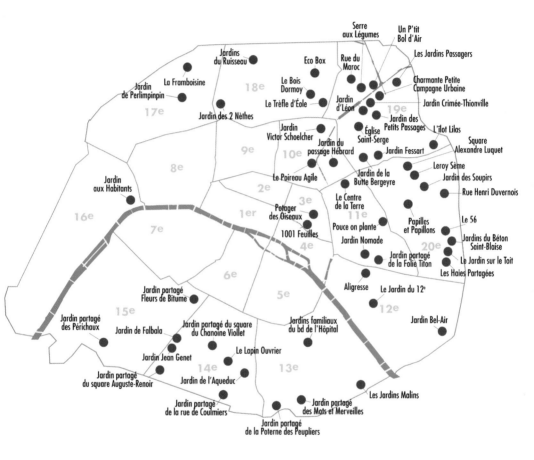

Serre
aux Légumes

Un P'tit
Bol d'Air

Les Jardins Passagers

Jardins
du Ruisseau

Eco Box

Rue du
Maroc

Charmante Petite
Campagne Urbaine

Jardin
de Perlimpinpin

La Framboisine

Le Bois
Dormoy

18e

Jardin Crimée-Thionville

17e

Le Trèfle d'Éole

Jardin
d'Léon

19e

Jardin des 2 Nèthes

Jardin des
Petits Passages

Jardin
Victor Schoelcher

9e

10e

Jardin du
passage Hébrard

Église
Saint-Serge

L'îlot Lilas

Square
Alexandre Luquet

8e

Jardin Fessart

Leroy 5ème

Le Poireau Agile

2e

Jardin de la
Butte Bergeyre

Jardin des Soupirs

Jardin
aux Habitants

3e

Le Centre
de la Terre

Rue Henri Duvernois

16e

1er

Potager
des Oiseaux

11e

Pouce on plante

Papilles
et Papillons

Le 56

7e

1001 Feuilles

4e

Jardin Nomade

Jardins du Béton
Saint-Blaise

20e

Jardin partagé
de la Folie Titon

Le Jardin sur le Toit

6e

5e

Aligresse

Le Jardin du 12e

Les Haies Partagées

Jardin partagé
Fleurs de Bitume

12e

15e

Jardin partagé
des Périchaux

Jardin de Falbala

Jardin partagé du square
du Chanoine Viollet

Jardins familiaux
du bd de l'Hôpital

Jardin Bel-Air

Jardin Jean Genet

Le Lapin Ouvrier

Jardin partagé
du square Auguste-Renoir

14e

Jardin de l'Aqueduc

13e

Jardin partagé
de la rue de Coulmiers

Jardin partagé
des Mots et Merveilles

Les Jardins Malins

Jardin partagé
de la Poterne des Peupliers

S'offrir
une fish pedicure

Malaisie, Chine, Japon... Les Poissons Docteurs ont roulé leurs nageoires dans toutes les contrées d'Asie. Leur curieuse vocation : exfolier et masser les pieds.

A deux pas du Panthéon se niche le centre de Fish Therapy de Paris. A voir cette maison à colombage relookée en institut zen, on ne songe pas un instant qu'une mini faune aquatique s'y cache. Et pourtant : à peine assis, un aquarium surgit du sol et invite nos pieds à plonger. La seconde d'après, des petits poissons viennent vous exfolier les pieds. Car les Garra rufa (appelés Poissons Docteurs pour leurs vertus thérapeutiques) ne demandent rien d'autre que se faufiler entre les orteils et butiner les petites peaux mortes pour polir les petons. Au final, cela donne un fabuleux massage thérapeutique, doublé d'une pédicure.

Inutile d'essayer avec votre poisson rouge. Etre un Poisson Docteur, ça ne s'improvise pas !

Rufa Fish Spa
3 rue des Fossés Saint-Jacques - 75005 Paris
RER Luxembourg
Tél. 01 43 29 41 36

Kanako

DÉMÉNAGER

Briefer son agent immobilier

Vivre en face de l'Opéra
Pour être aux premières loges

Surplomber une caserne de pompiers
Parce que le dimanche, il y a échauffement dans la cour

Habiter au-dessus de la Pâtisserie des Rêves
Pour se ravitailler en douceurs à toute heure

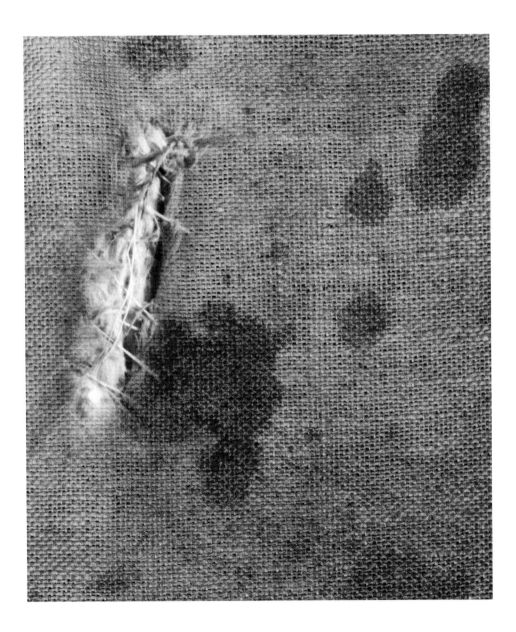

FAIRE CLONER
SES VÊTEMENTS PRÉFÉRÉS

C'est fini. Vous ne vous en remettrez pas. Vous ne pouvez pas vivre sans lui. Il est irremplaçable.
Mais votre accessoire fétiche, votre vêtement favori est désormais usé par le temps et en train de rendre l'âme. Comment retrouver cette coupe, cette couleur, cette allure folle ? Ne désespérez pas, une résurrection est possible. Ou presque.

www.jeveuxlememe.fr
Les créateurs du site empruntent votre vêtement chéri et vous le rendent 48h plus tard avec un devis pour le dupliquer à l'identique. Si le prix vous convient, ils vous livrent gratuitement sur Paris le pimpant remplaçant.

Pantalon à partir de 60€, chemise 40€, robe 50€
http://www.jeveuxlememe.fr

La Boutique Sentimentale
Ce cordonnier réalise en un tour de main une copie de vos escarpins fétiches dans la couleur et la matière de votre choix.

14 rue du Roi de Sicile
75004 Paris
Métro Saint-Paul
Tél. 01 42 78 84 04
Ouvert du mardi au dimanche, de 14h à 19h

Kanako

" Tous les objets d'une penderie devraient porter une date limite, comme le lait, le pain et les journaux."

Andy Warhol

Collectionner
les objets tombés du camion

Vous avez tout essayé : de la rediffusion de Punky Brewster au shoot discret de colle Cléopâtre, la tête planquée dans le cartable de votre aîné. Arrêtez tout de suite : dans une boutique proche de la butte Montmartre, on vous promet un ticket direct vers le 7ème ciel pour le rétro-compulsif que vous êtes.

Tombées du Camion, c'est une adresse un peu martienne où l'on trouve une foultitude d'objets insolites et surannés : du taille-crayon mappemonde qu'on piquait au 1er de la classe, aux sifflets de gendarme en passant par les yeux de poupées qui vous fixent. Ça vient d'où ? C'est tout simplement tombé du camion, échappé de stocks d'usine.

Des petits objets culte à profusion qui sont autant d'archéologies de votre passé : c'est ancien, mais c'est neuf. C'est unique, mais en quantité. C'est tombé du camion, et vous retombez en enfance illico.

Tombées du Camion
17 rue Joseph de Maistre
75018 Paris
Métro Abbesses ou Blanche
Tél. 01 77 15 05 02

Manger
des pâtes vivantes

Rue du Faubourg Montmartre, les passants se pressent. Mais au 46, ils s'arrêtent, ils piétinent. Ils contemplent, fascinés comme des enfants devant une vitrine de Noël, le spectacle peu commun qui s'offre à leurs yeux : une cuisinière chinoise en train de fabriquer des pâtes fraîches qu'elle étire et enroule à la main comme une fileuse de coton.

Suivez-les et poussez la porte de la petite échoppe *Les Pâtes Vivantes*. Après une assiette de tempuras en guise de mise en bouche, commandez un bol de nouilles sauce Chajiang, puis laissez votre palais agir. Le bœuf est croquant, le soja croustillant, les feuilles de moutarde pétulantes et le gingembre frétille sous la dent. Tenez bien vos baguettes pour capturer les nouilles, si longues et si fraîches qu'elles se débattent dans votre assiette, un peu comme si elles étaient... vivantes ! Autant prévenir, pour rester digne et repartir avec une chemise immaculée, il faut avoir passé quelques années en Chine.

Mais qu'importent les apparences, l'essentiel est ce qu'il y a à l'intérieur... de votre bol.

Les Pâtes Vivantes
46 rue du Faubourg Montmartre
75009 Paris
Métro Le Peletier
Tél. 01 45 23 10 21

FRISSONS

LES PEURS PARISIENNES

Louper le dernier métro
———

Ne pas trouver de table en terrasse au bar du Marché
———

Porter le même haut Zara que sa collègue
———

Croiser son ex, blafarde en sortant de la piscine
———

Ne rien avoir à faire un samedi soir
———

Devoir déménager en banlieue
———

Se faire agresser par un pigeon
———

Ne pas trouver de place de Velib
———

Que la voisine du dessus se mette à avoir une vie sexuelle
———

Etre prise pour une provinciale
———

Louer
une piscine privée à l'heure

C'était le repère d'Oscar Wilde, c'est la planque de Depp et Paradis. De quoi baisser humblement les yeux en entrant dans ce lieu si mythique qu'il n'a pas de nom. Si, c'est l'Hôtel. Avec un grand H.

Passée la façade discrète, on dirige ses pas feutrés sur la moquette léopard, vers un bar cossu à la lumière tamisée. On s'installe dans un fauteuil en velours, on commande un cocktail de circonstance (champagne, violette et citron vert) et soudain on a nous aussi l'impression d'être un personnage mythique. Ça pourrait s'arrêter là. On pourrait repartir sans savoir que derrière un rideau de velours, sous des voûtes, se cache une piscine souterraine. Mais surtout, ce qui serait dommage, c'est de ne pas vous dire qu'elle est privatisable le temps d'une heure, en solitaire ou en amoureux. Tirez le rideau et le lieu vous appartient.

Intrigués, séduits, tentés ? Qui de mieux placé qu'Oscar Wilde vous le dira : « *Le seul moyen de se délivrer de la tentation, c'est d'y céder.* »

Offre Treat and Eat pour 2 personnes :
piscine privatisée et massage (30 min) + déjeuner
pour 130€ par personne
Offre Treat and Eat pour 1 personne :
piscine privatisée et massage (45min) + déjeuner pour 190€
Valable du mardi au samedi pour le déjeuner uniquement

L'Hôtel
13 rue des Beaux-Arts - 75006 Paris
Métro Saint-Germain-des-Prés
Tél. 01 44 41 99 00
www.l-hotel.com

Se meubler en décors de cinéma

C'est dans cet antre secret que stylistes, photographes et cinéastes viennent louer les meubles qui feront leur prochain décor. C'est aussi un lieu de prédilection pour les collectionneurs et amateurs qui viennent y chiner leur prochain trésor design.

Quand on pénètre dans l'entrepôt XXO, on a l'impression de plonger dans une faille spatio-temporelle : décors de cinéma, meubles extravagants et objets insolites de la seconde moitié du XXème siècle se côtoient dans un espace de 2 000 m^2. Parfois, un sentiment de déjà vu accompagne notre déambulation : les chaises Starck en plexiglas et leur image de geisha, on les a vues au Kong. La chauffeuse bleu électrique aux formes saccadées... ce n'était pas dans ce loft photographié dans IDEAT ?

L'entrepôt ouvre ses portes aux amateurs tous les premiers samedis du mois. Ça change des après-midi IKEA...

XXO
78 rue de la Fraternité
93230 Romainville
Transport en commun : Ligne 11 jusqu'à Mairie des Lilas
puis bus 105 et bus 129. Comptez 45min en partant de Châtelet.
Tél. 01 48 18 08 88
www.xxo.com
Ouvert du lundi au vendredi de 9h à 18h
et tous les premiers samedis du mois

Avoir un orgasme par semaine

Une petite routine gastronomique se serait-elle installée dans votre cuisine ? Testez cette recette de fondant au chocolat. Son secret ? Un savoureux mélange de chocolat, poivre et gingembre, avec un effet en deux temps : le gingembre, d'abord, réveille et excite les papilles, tandis que le poivre maintient une sorte de feu intérieur plus que troublant...

Fatalement, vous allez adorer, fatalement, vous en redemanderez.

Orgasme au chocolat

Pour 2 personnes

100g de chocolat très noir, 40g de beurre, 30g de farine, 2 œufs, 2 c. à s. de lait, 2 c. à c. de gingembre frais haché, 1 c. à c. de poivre noir fraîchement moulu, sucre en poudre, sel.

Préchauffer le four à 220°C. Beurrer et sucrer deux petits ramequins et les réserver au réfrigérateur. Dans une petite casserole, faire fondre doucement le beurre et le chocolat coupé en petits morceaux, excepté 8 carrés, que l'on réservera. Mélanger et laisser tiédir. Monter les blancs en neige.
Dans une jatte, faire mousser les jaunes d'œufs et 2 c. à c. bombées de sucre jusqu'à blanchiment du mélange. Ajouter le lait, la farine tamisée et 1 pincée de sel, puis le chocolat fondu. Incorporer délicatement les blancs d'œufs montés en neige. Faire chauffer 12cl d'eau, le gingembre et le poivre et 1 c. à s. de sucre dans une petite casserole. Laisser réduire jusqu'à obtenir un sirop. Hors du feu, lorsque le sirop aura un peu refroidi, ajouter 8 carrés de chocolat et mélanger jusqu'à ce que le mélange soit homogène. Au besoin, remettre sur feu doux pour bien faire fondre le chocolat. Attention de ne pas mettre le chocolat dans un sirop trop chaud, il brûlerait. Répartir la moitié de l'appareil dans les ramequins. Verser délicatement le sirop aux épices de façon à ce qu'il demeure au centre des ramequins, puis couvrir du reste de l'appareil. Cuire au four pendant 10min, jusqu'à ce que la surface des fondants commence à craqueler. Déguster tiède.

Recette extraite du livre
480 pages de douceurs dans un monde de brutes
Chez Tana Editions, Collection Mon grain de sel

Sillonner
Les stocks secrets de Paris

Pour votre argent, plutôt que les stocks options, on vous recommande chaudement l'option stocks : s'offrir un (ensemble) 2-3 pièces dans un quartier qui bouge, à un prix nettement inférieur au prix du marché, c'est un deal.

Nos meilleures adresses de stocks :

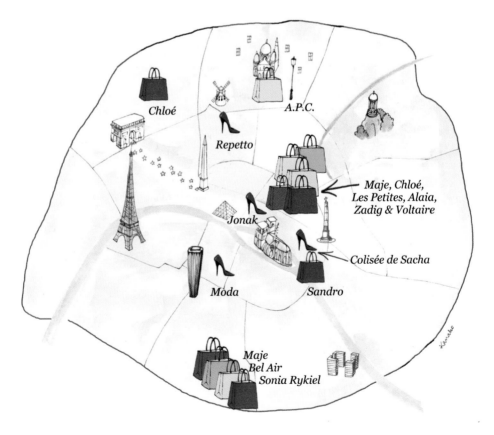

Chloé

A.P.C.

Repetto

Maje, Chloé,
Les Petites, Alaia,
Zadig & Voltaire

Jonak

Colisée de Sacha

Moda

Sandro

Maje
Bel Air
Sonia Rykiel

Stock Sandro
26 rue de Sévigné , 75004

Stock Chloé
8 rue Jean-Pierre Timbaud
75011

Stock Maje
- 44 av Gén Leclerc, 75014

- 92 rue des Martyrs,
75018

Stock Repetto
24 rue de Chateaudun, 75009

Stock Sonia Rykiel
64 rue d'Alésia, 75014

Stock Jonak
44 bvd Sébastopol, 75003

Moda (chaussures de luxe)
45 rue Saint-Placide, 75006

Stock Zadig et Voltaire
22 rue du Bourg Tibourg, 75004

Stock APC
20 rue André Del Sarte, 75018

Stock Bel Air
36 av Général Leclerc, 75014

Stock Alaïa
18 rue de la verrerie, 75009

Stock Sonia Rykiel
64 rue d'Alésia, 75014

Stock Colisée de Sacha
59 rue de Beaubourg, 75004

Stock Les Petites
11 rue de Marseille, 75010

ÊTRE SAUVÉE PAR DES AGENTS ANTI-STRESS

Les New Yorkais ont leur free hugs, Paris a ses free massages, délivrés par des agents anti-stress bigrement efficaces. Qui sont-ils ? Des membres de l'association *La Décontraction à la Française* pratiquant le massage de rue pour le plaisir des Parisiens.

Sur la petite place de la Contrescarpe, ils vous attendent avec leurs doigts de fée et leur sourire prévenant, prêts à vous offrir un massage zénifiant et gratuit. Asseyez-vous. Fermez les yeux. Bercée par la musique d'un groupe manouche qui joue à vos côtés, vous ne pensez plus à rien. La tête, les bras, les mains, le dos, tout votre corps est palpé en douceur et se vide peu à peu de la pression quotidienne.

Voilà c'est fini. Ça va mieux ?

Association La Décontraction à la française
Place de la Contrescarpe
6 rue Blainville, 75005 Paris
Métro Place Monge
Tél. 06 63 91 86 35
Pour plus d'informations, écrire à
decontraction.france@gmail.com
A partir de 18h, tous les jours de beau temps,
de début mai à fin septembre

Se faire masser les pieds à domicile

Trop mou, trop cher, trop bavard… On a sillonné tout le XIIIème pour y dénicher le meilleur masseur chinois. Puis ce fut l'état de grâce : la famille Liu, un gars et une fille, ont envoûté nos pieds. Ces deux masseurs viennent chez vous pour offrir à vos petons 1 heure de béatitude selon la tradition chinoise et pour 40€ seulement.

Ding dong : Liu débarque chez vous et le rituel chinois peut alors commencer. Pendant que vos pieds se prélassent dans un bain de roses, il ou elle vous masse le cuir chevelu, le dos et les bras. Puis se concentre sur le « deuxième cœur de votre corps » : vos pieds. Liu malaxe, frictionne, pétrit chaque centimètre de vos petons et c'est tout votre corps qui en profite. Une évidence vient de tomber : le bonheur est dans le pied.

Liu Massage
Massage des pieds à domicile dans Paris intra-muros,
7 jours sur 7, de 9h à 23h.
Réservez votre massage au 06 10 19 95 27 puis confirmez
votre adresse en écrivant à massageliu@hotmail.com
Tarif : 40€ l'heure pour Paris intra-muros.
Supplément de 10€ pour Neuilly-sur-Seine et Levallois.

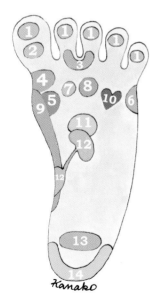

Kanako

1. apaise les pensées
2. tranquilise l'esprit
3. relaxe les yeux
4. dilue le stress
5. évacue le stress
6. dénoue les épaules
7. apaise la respiration
8. équilibre la circulation
9. détend le dos
10. harmonise le rythme du coeur
11. contribue au bien-être du corps et de l'esprit
12. relaxe l'estomac
13. redonne de l'énergie
14. stimule la circulation

" If you play by the rules,
you miss all the fun "

Katherine Hepburn

Servir de cobaye
à un chef étoilé junior

Le caviste a la tremblote en versant le vin et le serveur ne se souvient plus de l'entrée proposée au menu. Dans un restaurant normal, on serait sans pitié. Dans celui-là, on s'en réjouit. S'offrir un repas de luxe pour pas cher dans un restaurant hôtelier, ça tombe à point nommé.

Le lieu : l'institut Vatel, où sont formés les futurs chefs étoilés. Pendant qu'on festoie d'un repas endimanché, eux, ils suent en silence: c'est que leur professeur est dans les parages, épiant leurs moindres gestes.
Lorsqu'on découvre ce qu'ils déposent sur notre table, qu'on comprend que c'est du sérieux : un menu digne d'un restaurant étoilé pour 33€, composé de plats de saison raffinés et harmonieux de la tête aux pieds. Et quand le Chef Pâtissier junior entre en scène pour nous présenter, rougeoyant de fierté, sa ribambelle de gâteaux, là, on tire carrément notre chapeau.

Kanako

Institut Vatel
122 rue Nollet, 75017 Paris
Métro Brochant
Ouvert du lundi au vendredi
Réserver au 01 42 26 26 60
Menus midi et soir à partir de 33€
comprenant entrée, plat, fromage et dessert
Menu spécial déjeuner : 21€ (plat et dessert)

Adhérer
au Mile High club

« *Depuis que tu es rentrée de vacances, Martine, tu n'es plus la même, tu nous snobes...* »
Normal, comment ses proches pourraient-ils comprendre Martine ? Depuis ce vol New York-Paris, elle fait partie du club le plus exclusif au monde: le club de ceux qui se sont envoyés en l'air dans un avion.

Adhérer au *Mile High Club* est loin d'être évident. Déjà, il faut avoir à sa disposition un engin susceptible de vous envoler au-delà des 1 609 mètres d'altitude requis par le règlement. Important, il faut être accompagnée d'un partenaire disposé à vous faire grimper aux rideaux dans la carlingue. Enfin, il faut être stratège. Se positionner aux abords de l'allée, repérer la trajectoire des hôtesses, éviter l'heure de pointe aux lavabos et être prêt à agir dès que les lumières se tamisent. Une fois revenue sur la terre ferme, le récit détaillé de ce rituel d'entrée vous ouvre la porte à cet ordre très fermé et vous recevez rapidement votre carte de membre.

En espérant que vous avez fait bon voyage.

www.milehighclub.com
Mile Hile Club : le club des gens qui « l'ont fait » dans un avion

CARTE D'ADHÉRENT
MILE HIGH CLUB

N° ...1635 378983

Nom et Prénom : ..Raphaëlle Raymond

Adresse :..127 rue de l'Université
75006 Paris

Date d'adhésion :..12.06.2004...

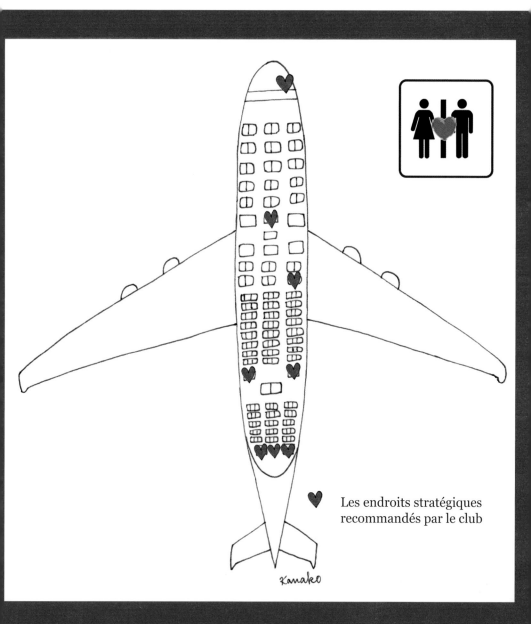

Les endroits stratégiques
recommandés par le club

Kanako

Mes chères larmes,
merci d'être restées au large ces
dernières semaines. Nous nous
étions beaucoup vues et votre
absence me fait du bien parce
qu'elle me fait mieux vous aimer.
La prochaine fois que vous coulerez,
je saurai davantage vous voir comme
un petit cadeau.
— Leah

Chère ville de New York,

   Merci d'être une maitresse si
parfaite. Ca fait un bon moment
que je suis mariée à Los Angeles
et tu me permets de m'évader
de la monotonie de ma monogamie
urbaine. XX, Leah

ma chère paresse,
merci d'avoir laissé le sac de fringues
dont j'allais me débarrasser rester
dans le coffre de ma voiture si
longtemps que ça m'a permis de les
redécouvrir et finalement de les garder.
J'ai l'impression d'avoir fait une razzia
de shopping. Je ne suis pas pour la
paresse des autres, mais toi, ma
paresse personelle, tu me plais bien
XX, Leah

Savoir
dire merci

Je veux (*que mon homme m'offre plus souvent des fleurs*).
Tu voudrais (*les mêmes Louboutin en bleu*).
Il a exigé (*d'être assis à côté du hublot*)...
Il est décidément des mots qu'on sait conjuguer à tous les temps. Et d'autres tout simples auxquels on ne pense pas forcément.

Merci. C'est un nom tout commun pour une attitude pas si commune.
C'est aussi la jolie petite habitude quotidienne de Leah Dieterich, qui se livre tous les matins sur son blog, *thxthxthx*, à un exercice de gratitude. Elle remercie ses larmes de ne pas avoir coulé récemment, les gens qui marchent doucement de parfois la laisser passer ou encore son mal de crâne de lui rappeler de moins boire.

Autre merci lancé à la vie, celui de Bernard et Marie-France Cohen. Les fondateurs de Bonpoint ont créé leur charity store en plein Paris, pour remercier la vie des cadeaux qu'elle leur a fait et partager leur succès avec les moins bien lotis. Naturellement, leur boutique s'appelle *Merci*.

Ça fait du bien...

www.thxthxthx.com

Merci
111 Boulevard Beaumarchais
75003 Paris
Métro Saint-Sébastien Froissard
Tél. 01 42 77 00 33
Ouvert du lundi au samedi de 10h à 20h

Manger
une pizza aux truffes

Kanako

La truffe : ce précieux diamant noir que nos papilles chérissent, mais dégustent si rarement. Discrète à l'œil, elle est la star gastronomique des mets auxquels elle fait honneur : les pâtes, certes, les omelettes, évidemment, mais les pizzas à la truffe, vous connaissiez ?

Normal, c'est nouveau, et cela se dévore chez *Al Taglio*, le sympathique et bientôt incontournable pizzaiolo de la place parisienne. Une pâte gonflée et craquante à souhait, des ingrédients raffinés, fraîchement arrivés d'Italie et une pizza servie au poids et à la coupe selon la tradition romaine ! " *Alors pour moi ce sera 200 gr de pizza à la crème de truffe, 100 gr de pizza à la pancetta et crème de potiron, 150 gr de pizza buffala et basilic* ".

Al Taglio
Pizza au poids et à la coupe
2 bis rue Neuve Popincourt 75011 PARIS Métro Parmentier
Ouvert du mardi au jeudi de 12h à 23h.
Le vendredi et samedi jusqu'à minuit.
Tél : 01 43 38 12 00

Déguster
un dîner qui voltige

Ici, les légumes se donnent en spectacle. Ils font quelques pirouettes puis s'offrent un dernier petit salto avant d'être lancés directement dans votre gosier, sans passer par la case assiette. "Ici", c'est au *Comptoir Nippon*, et vous êtes en plein Teppanyaki show.

Cette tradition japonaise qui signifie "cuisson sur la plaque de fer" s'accompagne d'un spectacle étourdissant : sous vos yeux, les cuisiniers jonglent avec des gambas, cisèlent les légumes rapido-presto, jouent des maracas avec des poivriers, tout cela dans un balai de mains agile et gracieux. Soyez attentif et ayez le réflexe d'ouvrir la bouche au bon moment pour accueillir une crêpe de tofu. Cela pourrait être un simple show tape à l'oeil qui cache une cuisine terne. En aucun cas : vous nous direz des nouvelles des nems au foie gras et shitakés, des épinards sautés aux cacahuètes ou des homards rolls farcis au tarama d'oursin.

Idéal pour dérider un dîner d'affaires ou décoincer un premier rencard.

Au Comptoir Nippon
3 avenue du Maine, 75015 Paris
Tél: 01 45 48 22 32, Métro Montparnasse
Menus à partir de 26,50€ Réservation vivement conseillée,
précisez si vous souhaitez un chef
qui vous envoie dans la bouche ou dans l'assiette!

Kanako

ÊTRE UNE STAR d'INTÉRIEUR

« *Paris ne serait pas Paris sans ses parisiennes* »...
En leur hommage, un jeune Doisneau des temps
modernes les immortalise sur papier glacé.

Baudouin, célèbre photographe pour ELLE, réalise un
projet de livre sur les Parisiennes qui s'intitulera tout
simplement « Je suis une Parisienne ». Et recherche à
cette occasion 100 Parisiennes à mettre en scène dans
leur intérieur parisien. Qu'importe qu'elles soient Parisiennes de naissance ou d'adoption ; l'essentiel est
qu'elles portent en elles cette aura mystérieuse mais ca-
ractéristique de La Parisienne. Ce petit « je ne sais
quoi» susceptible d'en faire une icône de beau livre.
Envie de vous faire tirer le portrait, couchée sur votre
lit, devant votre collection de vinyles ou assise dans
votre vieux fauteuil en sky ? Alors envoyez une photo
de vous et de votre intérieur à contact@baudouin.fr.
Qui sait, le bon plan parisien, c'est peut-être vous cette
fois...

www.baudouin.fr
sur la page « I'm a parisian lady »

Se faire épiler les sourcils au fil

Stylisme des sourcils

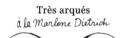

Arqués
à la Sienna Miller

Très arqués
à la Marlene Dietrich

Angulaires
à la Angelina Jolie

Circonflexes
à la Marilyn Monroe

Angulaires montants
à la Aishwarya Rai

Elles ont beau exécuter des chorés kitschissimes en sari flashy, les actrices de Bollywood n'ont besoin que d'un regard pour conquérir le héros, et les spectateurs avec. Mais qu'ont-elles de plus que nous ? Quelques poils en moins ! Ou plus exactement des sourcils au dessin parfait.

L'épilation au fil est une technique ancestrale indienne, où le poil est attrapé entre deux fils de coton qui coulissent pour le retirer à la racine. Cette méthode permet un tracé beaucoup plus net que la cire. Les esthéticiennes du *Centre de Beauté Indien* ont le geste sûr et dessinent une ligne impeccable, adaptée à la forme des sourcils. Ça dure 5 minutes, ça coûte 7€ et, bon, c'est vrai, ça fait mal, surtout la première fois. Mais c'est aussi jouissif qu'une nouvelle coupe de cheveux : le regard est sublimé, le visage comme éclairé, les traits presque affinés. Bluffant.

Centre de Beauté Indien
27/33 rue Philippe de Girard, 75010 Paris
Métro Gare du Nord
Tél. 01 46 07 44 67
Ouvert du mardi au samedi, de 10h30 à 20h
et le dimanche de 11h à 19h30, sans rendez-vous

JOUER
LES PURISTES

Manger ses nouilles thaï à la fourchette ? Trop facile.
Sucrer son expresso ou vinaigrer son huître ? Hérétique.
Laissez tomber les restos en carton-pâte et préférez-
leur la cuisine des puristes : ceux à qui « on ne la fait
pas ». Ceux qui préfèrent les boui-bouis authentiques à
la cuisine vaniteuse qui sent le bon cliché. Ceux qui
n'ont pas peur de se frotter à un plat qui leur fera cra-
cher du feu.

Si vous avez envie d'aller voir ailleurs avec un ticket de
métro, voici 6 adresses de restos sans chichis pour planter ses baguettes dans les meilleurs plats du monde.

Vous avez aimé? Dites merci ...

En coréen : « *kam sah hamnida* »

En hindi : « *dhanyavad* »

En thaï : « *kop khun kha* » pour une femme

«*kop khun krap* » pour une homme

En vietnamien: « *cam On* »

En japonais : « *Arigatô* »

**S'initier à l'art
de manger un bibimbap**
*Bibimbap,
32 Boulevard de l'Hôpital,
75005 Paris
Tél : 01 43 31 27 42*

**Boire le meilleur lassi
de la capitale**
*Le Paris-Féni,
15 bis rue Ternaux,
75011 Paris
Métro Parmentier
Tél: 01 48 05 08 85*

**Manger à la thaï,
assis sur un coussin**
*Le Krung Thep
93 rue Julien Lacroix,
75020 Paris
Métro Belleville
Tél : 01 43 66 83 74*

**Savourer un Phad Thai
comme à Bangkok**
*Le Sukhothai
12 rue du Père Guerin,
75013 Paris
Métro Place d'Italie
Tél : 01 45 81 55 88*

**Dîner dans la cantine
des Vietnamiens**
*Le Bambou
70 rue Beaudricourt,
75013 Paris
Métro Tolbiac
Tél : 01 45 70 00 44*

**Perdre la raison
pour un plat de nouilles**
*Hokkaido,
14 rue Chabanais,
75002 Paris
Métro Pyramides
Tél : 01 42 60 50 95*

Célibataire

Premier rencard

Deuxième rencard

Nuit blanche

Se faire livrer des petites culottes

Et si le facteur vous réservait une surprise tous les mois ? Une surprise coquine, vraiment intime. Non, vous n'y êtes pas. Une surprise avec du satin, de la dentelle, des fleurs... ou pas... Il faut attendre d'ouvrir le colis pour savoir.

Le site canadien *Panty by Post* propose un abonnement si bon pour le moral qu'il devrait être remboursé par la sécu : recevoir tous les mois une petite culotte surprise dans sa boîte aux lettres ! Vous vous inscrivez pour une fois ou pour un an, comme vous voulez. Vous sélectionnez votre taille, vous réglez... et vous guettez le passage du facteur. Vous connaissez déjà l'effet euphorisant de l'achat de lingerie, on vous laisse imaginer la griserie de déballer le colis et de découvrir vos mignons dessous, leurs petits nœuds, leur forme sexy, leurs lacets délicats. C'est le double effet panty : la surprise vous ravit et la culotte vous rend jolie.

www.pantybypost.com
Abonnement pour une culotte surprise par mois
De 16$ canadiens (12€) pour un seul envoi, à 240$ (177€)
pour une surprise tous les mois pendant un an
Livraison en France avec frais supplémentaires

" On devrait toujours être légèrement improbable. "

Oscar Wilde

PERDRE LA RAISON POUR UN FROMAGE ITALIEN

Kanako

Elle a la peau douce et la chair fondante, le teint d'un blanc laiteux. Avec ses formes pulpeuses et ses origines italiennes, elle est très convoitée aux dîners. Non, ce n'est pas une actrice italienne, mais la non moins envoûtante Burrata. Ce fromage italien au lait de vache ressemble à de la mozzarella sauf qu'une surprise se cache à l'intérieur... mais patience, nous n'en sommes qu'aux préliminaires !

Tout d'abord, retirez délicatement le jonc vert qui l'habille. Puis munissez-vous d'une petite cuillère et plongez-la dans sa chair. Nous y sommes : au coeur de la Burrata se niche de la crème veloutée, délicate et parfumée. Quelques pincées de sel et de poivre, quelques gouttes d'huile d'olive et vous voilà fin prêt pour la dégustation. À vos cuillères!

Coopérativa Latte Cisternino

- 46 rue du Faubourg Poissonnière, 75010 Paris,
  Tél : 01 47 70 30 36, Métro Bonne Nouvelle
- 108 rue Saint Maur, 75011 Paris, Tél : 01 43 38 54 54, Métro Parmentier
- 17 rue Geoffroy St Hilaire, 75005 Paris, Métro Censier Daubenton
- 37 rue Godot de Mauroy, 75009 Paris, Métro Havre Caumartin

Ouvert du mardi au samedi de 10h à 13h30 et de 16h30 à 20h.
Arrivage de la ferme de Campanie le jeudi. Fermé le dimanche et lundi.

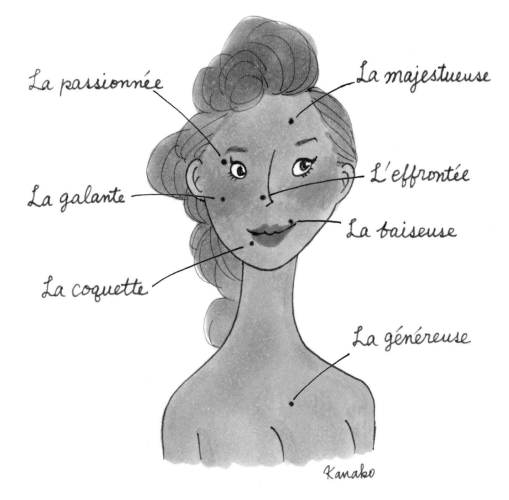

La passionnée

La majestueuse

La galante

L'effrontée

La baiseuse

La coquette

La généreuse

Kanako

FATALE

Adopter le détail qui tue

Lundi il vous a trouvé badine, mardi passionnée, mercredi effrontée...
Aurait-il un grain? A moins que ce ne soit vous...

Un petit grain de beauté aguichant, qui vous effleure la lèvre, un autre qui se pose au coin de votre œil... Quand on n'a pas la chance d'avoir le naevus aussi bien placé que Cindy Crawford, tout n'est pas perdu. Piquez le secret des coquettes du XVIIIème siècle et adoptez la mouche, cette petite pièce de taffetas noire qu'elles posaient à même leur peau pour faire ressortir la blancheur de leur teint et donner du piquant à leur visage et à leur décolleté.

Mais prenez garde à ne pas semer ces petites mouches au hasard et placez les selon les règles centenaires qui ont fait leur preuves pour affrioler les courtisans.

Symbolique des mouches:
La passionnée enflamme le coin de l'œil, quand l'effrontée toise le bout du nez. La baiseuse se languit sur les lèvres, tandis que la coquette se glisse au coin de la bouche. On trouve la galante au milieu de la joue. La majestueuse, quant à elle, règne sur le front. Et bien sûr la généreuse réveille la poitrine.

RETROUVER LE CERCLE DES POÈTES DISPARUS

Toc toc. Derrière le judas de la lourde porte en bois, un œil se montre et une voix chuchotante nous demande de patienter : on ne va tout de même pas interrompre Rimbaud en pleine poésie ! Le sacrilège évité, on peut enfin entrer. Bienvenue au *Club des Poètes*.

C'est une petite grotte créée en 1961 par le poète Jean-Pierre Rosnay et sa Muse, Tsou. On s'y sent vite comme à la maison. Normal, puisque l'un des fils des fondateurs y vit avec toute sa famille. On s'installe à une table et on commande un verre.

22h a sonné, le silence se fait : on entre dans le territoire de la poésie. Tour à tour, comédiens, chanteurs, écrivains se lèvent pour interpréter un poème. Vous pouvez aussi être de la partie, mais il vous faut connaître le texte par cœur. Vers minuit, la soirée touche à sa fin. Baudelaire vous a invité au voyage, Aragon a célébré les yeux d'Elsa.

Vous n'êtes pas monté sur les tables, mais le cercle des poètes disparus est bien vivant.

Le Club des Poètes
30 rue de Bourgogne
75007 Paris
Métro Varenne
Soirées poétiques à 22h tous les mardis, vendredis, samedis
5€ l'entrée, réservation obligatoire au 01 47 05 06 03

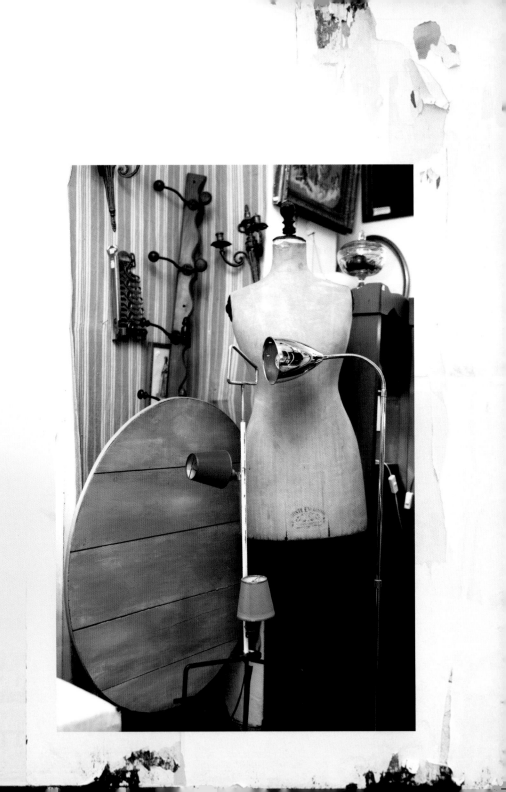

Fouiner
des objets de déco

Ça y est c'est fait, on est installée. On a tout pensé et mesuré. On a scruté les catalogues et sélectionné des meubles coordonnés. Normalement on ne s'est pas trompée sur la peinture et le tapis est bien aligné... C'est drôle, il manque quelque chose... une petite touche d'âme ?

Ikea, Roche-Bobois, Habitat, quelque soit votre chapelle, il vaut mieux veiller à éviter le total look sinon vous risquez d'y perdre votre âme. La solution : chiner ! Rien de tel, pour fouiner et dénicher l'objet précieux, voire fétiche, qui va donner du chien à votre intérieur. Direction les puces, les brocantes. On se perd dans un fatras d'objets insolites et charmants, on prend le temps, on tâte, on palpe, on tchatche et surtout on attend le coup de cœur, l'évidence. Amen !

Puces de Vanves
Avenues Marc Sangnier et Georges Lafenestre
75014 Paris
Tous les samedis et dimanches de 7h à 13h

Brocantes de Popincourt
Rue du Marché Popincourt, rue Neuve Popincourt et rue Turnaux
75011 Paris
Métro Oberkampf ou Parmentier
Fermées le lundi

Boutique "Et puis c'est tout !"
72 Rue des Martyrs, 75009 Paris
Métro Pigalle
Tél. 01 40 23 94 02
Ouvert le lundi de 14h à 19h et mardi au samedi de 12h à 19h30

JOB

Inventer un nouveau métier

Lequel de ces métiers existe réellement à Paris ?

(réponse en bas de page)

Accélérateur d'ambiance
Il vient à votre soirée et fait semblant de s'éclater pour mettre l'ambiance.

Crieur de rue
Il récolte les messages des habitants du quartier et les clame sur la place publique.

Eclairagiste professionnel
Il vous suit partout avec un spot et s'assure que vous êtes toujours à votre avantage.
Ex : La lumière vous rend le teint blafard? Il tamise l'ambiance grace à son spot. Quelqu'un vous fait de l'ombre? Il braque le projo sur vous.

Détective de soirée
Il déniche les soirées parisiennes secrètes et vous fait rentrer.

Boosteur d'égo
Il met des commentaires sympas sur vos photos Facebook et vous appelle pour vous remonter le moral le dimanche soir.

Accompagnateur musical
Il accompagne chaque moment de votre vie en musique comme dans une comédie musicale.

Goûteuse
Elle goûte à tout avant vous pour s'assurer que cela vous conviendra : votre prochain resto, votre prochain voyage, votre prochaine conquête.

Briseur de couple professionnel
Il se charge de séparer les ménages malheureux.

Olivier

Crieur de rue
2 rue crillon 75004

RENÉ DELAPORTE
ACCOMPAGNATEUR MUSICAL
34 SQUARE DIAPASON 19E
TEL. 01 45 89 34 653

PARC DE BAGATELLE, 75016 P.
TEL. 00 33 1 67 23 09 345

ALEX LIPPI
BRISEUR DE COUPLE

GOÛTEUSE
17, PASSAGE DUBUFFET
75012 PARIS
06 32 45 75 12 32

BENJAMIN D.

DÉTECTIVE DE SOIRÉE
56, RUE POTAIN - 75019 PARIS

www.detectivedesoiree.com

MARTIN AMBLARD
ACCÉLÉRATEUR D'AMBIANCE

PORTE DE LA MUETTE
CONTACT@ETIENNEDISCUTE.COM

VALÉRIE
MAJOREL

Thomas Ricolfi
ÉCLAIRAGISTE PROFESSIONNEL

288, QUAI DES CÉLESTINS, PARIS 4E - TEL. 019 12 22 76 45

BOOSTEUR D'EGO

ROMUALD POULET
10, CITÉ BIENAIMÉ, 75018 PARIS
WWW.BOOSTEUR-D-EGO.NET

PORTER UN CHAPEAU CRÉÉ POUR SOI

Le feutre sur cigarette de Bogart dans *Le Faucon maltais*. Le chapeau de paille sur le sourire estival de Romy Schneider dans *César et Rosalie*. Le bibi à plumes sur œil de biche d'Audrey Hepburn dans *Breakfast at Tiffany's*. Autant d'icônes où le couvre-chef incarne à lui seul la classe de celui ou celle qui le porte.

Pourquoi ces chapeaux ne descendraient-ils pas de leur panthéon cinématographique jusque sur votre tête ?

Pour vous aider à la réaliser, demandez à Cerise. Cette jeune modiste vous accueille dans son très bel atelier-boutique et vous laisse choisir la forme, la matière, le ruban, la couleur d'un chapeau unique : le vôtre.
Prenez le temps d'hésiter entre les teintes macadam et les couleurs flamboyantes, entre les panamas et les capelines, entre les feutres des années 40, les toques années 60 ou encore les cloches années 20 (de 70€ à 140€).

La cerise sur le chapeau ? La toute dernière création de la boutique, inspirée du chapeau rond sur nattes brunes de la jeune Marguerite dans *L'Amant*.

Kanako

La Cerise sur le chapeau
11 rue Cassette
75006 Paris
Métro Rennes
Tél. 01 45 49 90 53
Du mardi au samedi, de 13h à 19h

PRESCRIPTION

Ordonnance
pour oublier son ex à Paris

MY LITTLE PARIS

—

MÉDECINE GÉNÉRALE

92 1 18789 4

Consultations :
Lundi, Mardi, Mercredi, Jeudi, Vendredi
9 h - 13 h et 15 h- 20 h
Samedi 9 h - 13 h

57, rue du Prés
92300 LEVALL

Tél. : 01 47
Fax : 01 47

Diagnostic : rupture bénigne.

Durée du traitement : 3 mois, consulter à nouveau si les symptômes persistent.

√ Aller admirer le fessier de la statue de Casanova au Louvre pour se rappeler les défauts de son ancien amant.
Posologie : 1 fois par semaine pendant 1 mois puis 1 fois par mois.

√ Revendre son ex sur Ebay pour connaître enfin sa vraie valeur.
Posologie : 1 fois tous les 5 jours pendant 2 mois.

√ Changer de tête grâce au «forfait spécial rupture» au salon Zazen (38 Rue du Roi de Sicile-75004)
Posologie : 1 fois au tout début du traitement.

√ Appeler le Boosteur d'ego (voir page 87)

mbre d'une association agréée, les règlements par chèque sont acceptés.
cas d'urgence, appelez le 15.

" Parfois, on cherche le bonheur comme on cherche ses lunettes quand on les a sur le nez. "

André Maurois

Apprendre la chorégraphie de Dirty Dancing

Officiellement ? 1 fois. Officieusement ? 14 fois. Vous avez vu Dirty Dancing si souvent que vous en connaissez chaque milliseconde. Et la sortie du film L'Arnacoeur, où Romain Duris et Vanessa Paradis dépoussièrent la mythique danse de Patrick Swayze, vous a poussé à faire votre coming-out. Maintenant, vous assumez votre fantasme : danser comme dans Dirty Dancing. Action !

Nicolas et Anne vous proposent un cours de danse particulier spécial « Dirty dancing », pour préparer sa danse de mariage ou pour le plaisir pur. En quelques heures, ces danseurs professionnels vous enseigneront chaque pas de la fameuse danse, le tout sur la musique du film. Il ne vous reste plus qu'à chausser vos plus hauts talons et enfiler votre petite robe blanche pour que le cadre soit parfait. Quant à trouver un partenaire de danse audacieux... les hommes aussi rêvent secrètement de se la jouer comme Patrick.
Si si.

Cours de Dirty Dancing

Contacter Anne au 06 63 91 88 82 ou Nicolas au 06 63 93 50 06 ou par mail à l'adresse pouge-pouge@hotmail.fr
Cours en semaine de 14h à 17h, en soirée le vendredi.
Stages le week-end - Tarif pour 1 heure de cours particulier avec le couple de professeurs: 100€ pour le couple.

Boire un cocktail dans un petit coin de campagne

D'abord, un sentier qui s'échappe des hauteurs de la discrète avenue Junot. Puis une porte en fer perdue dans la verdure. On sonne et pénètre dans un jardin boisé avec la sensation déjà d'être un invité particulier. Quelques notes de piano, quelques tables éparses où l'on peut jouer aux échecs à la lueur des chandeliers… et derrière un bar de cuir molletonné, David : le bartender new-yorkais, artiste-créateur de cocktails oubliés ou réinventés. Il vous raconte alors l'histoire du « Gaby des Lys », son cocktail interdit, ou le très intrigant « Between the sheets ».

Un moment hors du temps à ne partager qu'avec vos amis « très particuliers ».

Bar privé Le Très Particulier
A l'hôtel particulier Montmartre
23 Avenue Junot
75018 Paris
Métro Blanche ou Lamarck-Caulaincourt
Tél. 01 53 41 81 40
(sonnez au portail noir et dites que vous venez boire un verre)
Ouvert du mercredi au samedi de 17h à 23h
Réservation obligatoire

Avoir un cocktail
à son nom

Si vous trouvez Tristan trop sec ou Thibault pas assez frappé, peut-être trouverez-vous Robert à votre goût. Le dernier chic in town ? Donner son nom à un cocktail concocté par le meilleur bartender de la capitale. C'est le moment de s'offrir un petit plaisir narcissique.

Mettez le cap sur le Pixel Bar, une adresse campée au bout de la rue Dauphine. Vous faites la liste des ingrédients que vous aimez et Michel, le bartender, shake la potion de vos rêves. Vodka caramel, gingembre frais, cointreau, brandy à l'abricot, tous les caprices sont permis. Votre cocktail vous plaît ? Michel lui donne votre nom et le rajoute à la carte.
Votre cocktail ne vous plait pas ? Michel l'analyse et trouve le petit truc qui fera la différence.

Pixel Bar
10 rue Dauphine, 75006 Paris
Métro Odéon
Tél. 01 44 07 02 15 ou 06 58 41 61 15
Du mardi au samedi de 17h à 2h

Légumes oubliés

Panais
Le cousin de la carotte

Chou-rave
À mi-chemin entre le chou et le navet

Topinambour
Délicat petit goût d'artichaut

Butternut
Petit arrière goût de beurre

Pissenlit
Jumeau de la salade

Patidou
Saveurs de châtaigne et de noisette

Kanako

Redécouvrir
les légumes oubliés

« Tu as vu ce que nous a servi Simone au dîner hier soir, elle est complètement has been, la pauvre... Il faut que quelqu'un lui dise que l'asperge, c'est fini et que le concombre est out. »

Mode, tendances, le monde des légumes n'est pas épargné. Après l'avoir relégué pendant des décennies aux vieux livres de cuisine poussiéreux, voilà que la nouvelle collection Printemps-Eté chez le primeur fait la part belle aux vieux légumes. Les locataires du bas du frigo se font détrôner par des pousses vintage aux noms désuets, comme le Topinambour, le Panais ou le Pissenlit. Pour dénicher les meilleures pièces, fraîchement récoltées, on file droit sur l'étal de Proxibio au marché bio du boulevard Raspail.

Stand Proxibio
Marché bio du boulevard Raspail
75006 Paris
Métro Raspail

S'Habiller (presque) Haute couture

La scène : l'atelier d'une grande Maison, en plein rush une semaine avant le défilé.
L'action : un créateur qui découpe un modèle dans un large pan de tissu.
Le rêve : lui chiper les chutes et vous en faire une robe.
Exaucé grâce à *Eva Zingoni* !

Ex-décrypteuse de tendances pour Li Edelkort et habilleuse de stars chez Balenciaga, Eva récupère les chutes de tissus créés pour les grandes maisons de couture et ramène son précieux butin dans son appartement-atelier de poche. La place finit par y manquer, mais tant pis : crêpes de soie, mousseline imprimée, taffetas et laine métallique se serrent et attendent leur tour. Une à une, les étoffes sont délicatement dépliées et magistralement transformées en petites robes, aux coupes sexy, modernes et faciles à porter. En édition forcément très limitée, chaque pièce est un concentré de haute couture et du talent d'Eva. Vous essayez les modèles dans son atelier, où elle peut apporter quelques retouches si nécessaires.

C'est presque du sur-mesure, mais démesurément accessible !

Eva Zingoni
Atelier : 83 allée Darius-Milhaud
75019 Paris
Métro Ourcq ou Danube
Tél. 01 42 49 05 32
http://www.evazingoni.com
Robes de 95 € à 550 €

ARRÊTER
LES GAFFES ALCOOLISÉES

3h16. Vous rentrez chez vous un peu pompette. La soirée fut arrosée, l'ambiance festive, vous vous sentez le maître du monde, plus rien n'est impossible. Grossière erreur que de passer par la case Internet avant de rejoindre votre lit.

Car soudain, avec une hardiesse qu'on ne vous a jamais connue, vous envoyez un mail à votre ex le suppliant de revenir... Puis vous décidez d'écrire à votre plus cher ami pour lui avouer que la mauvaise blague du 16 mars 1998, c'était vous... Et terminez par un mail incendiaire à votre collègue de bureau pour lui dire ses quatre vérités.

11h16. Vous ouvrez l'œil. Et réalisez avec effroi vos bévues.

Qui n'a pas déjà amèrement regretté un message de fin de soirée arrosée, si brillamment convaincant sur le moment, mais si cruellement pathétique le lendemain ? Pour vous éviter de commettre l'irréparable, Google lance son éthylotest : les utilisateurs de la messagerie Gmail peuvent paramétrer l'option « fin de soirée » qui interdit d'envoyer un mail sans avoir résolu au préalable cinq équations mathématiques simples en moins de 60 secondes. Si vous ne passez pas l'épreuve, mieux vaut remettre vos courriers Internet au lendemain.

Restez vigilants toutefois : on n'a pas encore la solution pour les sms !

Disponibles sur comptes Gmail paramétrés en anglais :
https://www.google.com/accounts/ManageAccount

Se faire masser dans le décor de L'Amant

On y entre la tête basse et le dos crispé, on en ressort le pas léger et les traits détendus. Logé rue du Faubourg Poissonnière, ce centre de massage traditionnel chinois est une bulle de quiétude.

Une parenthèse terre à terre mais néanmoins substantielle : le petit prix du massage, 35€ de l'heure, 20€ la demi-heure. Vous avez déjà croisé un tel tarif à Paris ? On pousse la porte et déjà, on commence à se sentir mieux. Deux petits canaris couleur mandarine vous saluent dans un décor chinois qui ressemble à celui du film L'Amant : statues de bronze, enfilade de paravents, lumière rougeoyante, meubles de Chine. Adorable, le propriétaire des lieux vous guide vers celui ou celle à qui vous allez confier votre corps le temps d'un massage. Entre ses mains, vous oubliez votre journée difficile et retrouvez la sensibilité de chaque partie de votre corps engourdi.

Un pur moment de béatitude sensorielle qui se déguste toute la semaine, de la pointe du jour à l'aube de la nuit, seul ou à deux.

Institut Xin-Sheng
56 rue du Faubourg Poissonnière
75010 Paris
Métro Poissonnière ou Bonne Nouvelle - Tél. 01 42 46 10 62
Massage chinois 1h : 35€ (corps) - Massage thaï 1h : 40€ (corps)
Massage du dos ou massage de la tête ½ heure : 20€
Réflexologie plantaire 1h : 30€
Ouvert tous les jours de 10h à 22h

Accepter une demande en non-mariage

«*Mademoiselle X, acceptez-vous de ne pas prendre en mariage Monsieur Y ?*»... terrible lapsus ! Le maire aurait-il fait une bourde ? Nullement, puisque ce dimanche, c'est le NON qui est à l'honneur !

Tous les ans, pendant la fête des Vendanges du XVIIIème, les couples affluent sur la place des Abbesses pour se « non-passer la bague au doigt » devant Daniel Vaillant, le maire.
Un évènement qui rend hommage à la chanson de Georges Brassens « La non-demande en mariage ». Et surtout, qui donne à tous les amoureux non mariés ou non pacsés l'occasion d'exprimer leur amour en public. Mince, vous êtes déjà mariés... ne soyez pas frustrés et allez donc profiter des autres réjouissances dont regorge la fête des Vendanges : goûter la cuvée des vignes de la Butte, vous offrir une balade sur les traces de Brassens et Nougaro, ou encore guincher dans les nombreux bals qui se déroulent autour de la Butte.

Cérémonie de non-mariage
Place des Abbesses
à l'occasion de la Fête des vendanges en octobre
Toutes les informations sur
www.fetedesvendangesdemontmartre.com
Inscription des couples auprès de la mairie du XVIIIème
Tél. 01 53 41 17 82

Kanako

" You can find inspiration
in anything, and if you
can't... look again."

Paul Smith

Page blanche angoissante
(déchargez vos angoisses sur ce mur)

Kanako

Transformer
ses enfants en Picasso

Votre petit dernier dessine comme un Dieu. Vous
n'avez de cesse de claironner ses talents à vos copines :
ce coup de crayon, quelle maîtrise ! Ce choix de couleurs, à peine croyable ! Du haut de ses deux ans et
demi, c'est clairement un Picasso en culotte courte.

Il est temps de donner toute sa mesure à ce jeune talent. Envoyez son barbouillage favori aux créateurs du
site E-glue et ils transforment son chef d'oeuvre en vi-
nyle géant adhésif à coller sur vos murs.

www.eglue.fr
Entre 39 et 139€

Assister à une messe de gospel comme à Harlem

La sonnerie du réveil. Le jet de la douche. Le grondement du métro. Le brouhaha sur le quai. Soudain le silence sous la nef. Le moindre son qui résonne. Et les voix qui s'élèvent. La musique gospel qui vous submerge. Vos mains qui s'animent et vos pieds qui s'agitent. Harlem ? Non, Pierrefitte-sur-Seine.

C'est tout au bout du RER D que le gospel prend sa source. Ici, on ne vous servira pas les ritournelles de Sister Act qui inondent les églises parisiennes. A Pierrefitte, le gospel ne se joue pas, il se vit à l'état brut, sans fioritures. Et se mérite : vous ne serez sûrement pas ravie de vous lever un dimanche matin pour prendre le RER. Vous ne tomberez pas non plus sous le charme de l'église de Bethel. Mais dès que vous aurez passé la porte, fermez les yeux, et laissez vous prendre par la musique. Jusqu'aux tripes.

Messe de gospel
tous les dimanches entre 10h et 13h30
Chœur des Chérubins, Eglise de Bethel, Bâtiment F6
8 chemin des Fourches
93380 Pierrefitte-sur-Seine
RER D, arrêt Pierrefitte Stains puis prendre le tunnel piétons

Kanako

SE PAYER UNE TRANCHE D'EXTASE

Fruité, féminin, onctueux, parfumé, puissant, complexe... un vin ? Non, mais cela s'en rapproche tant le plaisir de dégustation est infini. Ce met se mange avec les mains et de manière quasi compulsive. C'est le Bellota Bellota. Et c'est tout simplement le meilleur jambon du monde.

D'une souplesse de chair et d'un fondant comparable au caramel, il caresse le palais et taquine les papilles de ses arômes persillés. Il est servi dans une assiette en forme de volcan et auréolant une bougie chauffe-plat afin que les pétales de jambon soient légèrement tiédis et suintants. A ne manger qu'avec les doigts ! Accompagnez-le d'exquis tapas, d'un vin d'Espagne grisant et vous réaliserez un triptyque gastronomique d'anthologie.

Jabugo Iberico & Co
11, rue Clément Marot, 75 008
Métro Franklin Roosevelt
Tél: 01 47 20 03 13
Ouvert du lundi au samedi de 10h à 21h (20h le samedi)

Bellota Bellota
18 rue jean Nicot, 75007
Métro Latour-Maubourg
Tél : 01 53 59 96 96
Ouvert du mardi au samedi de midi à 15h et de 19h à 23h.

Avoir
un coach vintage

Combien de samedis après-midi êtes-vous partie en quête d'un vêtement qui allait révolutionner votre look, pour revenir, déconfite, avec un énième top noir ? Cela ne peut plus durer !

On vous propose d'échanger : les grandes enseignes contre une incroyable boutique ; le shopping de masse contre l'art du vintage ; les vêtements en série, trop neutres, contre des pièces uniques, stylées. Et puis, tant qu'on y est, changez aussi les vendeuses débordées et fatiguées contre Sylvie Chateigner, qui sélectionne chacun des articles comme elle organisait les fêtes les plus branchées de la nuit parisienne : avec un goût affûté, auquel aucun physio ne résiste ! Bref, remplacez ce que vous connaissez par cœur par « Thanx God I'm a V.I.P ».

Cette boutique se compose d'un rez-de-chaussée gris pour le vintage de luxe (YSL, Alaia, Dior, etc.) et d'un sous-sol rouge pour le bazar et les petits budgets, ouvert le WE seulement (robe courte en soie à 10€, tunique slave style militaire à 14€, etc.).

Dieu merci, vous êtes V.I.P. !

Thanx God I'm a V.I.P.
12, rue de Lancry - Paris 10ᵉ
Métro Jacques Bonsergent, République
Du mardi au dimanche, 14h à 20h

ZEN

La pause qui fait du bien

Ce livre ne se lit pas d'une traite.
Allez chercher le courrier, préparez-vous
un thé, coupez ce satané fil qui pend à
votre robe... ou faites ce petit exercice de
yoga.

Piquer des expressions de grand-mère

Au café du coin, ne dites pas au serveur : « *La même chose !* », dites plutôt : « *Garçon, vous pourriez rhabiller les gamins ?* »

A la vendeuse de chez Isabel Marant, ne dites pas : « *C'est un peu au-dessus de mon budget* », dites plutôt : « *je suis raide comme un passe-lacet.* »

Fi du verlan, fi du franglais, la jolie langue désuète de nos mamies reviendrait-elle en force ? Un peu, mon neveu ! Marianne Tillier les décortique dans son livre *Les expressions de nos grands-mères*. C'est l'occasion idéale de renouveler les pans de son vocabulaire usés d'avoir été trop utilisés, avec une note de gouaille, si possible.

Encore un exemple ? « *Mah non, Charlotte, tu ne vas pas finir vieille fille, chaque pot a son couvercle... En même temps, Mathieu t'a fait du plat sur MSN et tu l'as envoyé chez Plumeau !* » Traduction : « *Charlotte, tu es foutue.* »

Allez, roulez jeunesse!

Les expressions de nos grand-mères, *Marianne Tillier*
Éditions Points, Novembre 2008.

Les expressions fétiches de nos aïeules

Elle est ficelée comme un saucisson « Elle est engoncée dans ses vêtements »

Ils sont allés aux fraises. « Ils sont allés trouver un endroit pour leurs ébats amoureux »

Il est beurré comme un Petit-Lu. « Il est complètement soûl »

Caltez, volailles ! « disparaissez hors de ma vue ! »

Des nèfles ! « Ça ne va pas la tête ! »

Il est comme une poule qui a trouvé un couteau. « Il est déconcerté, il ne sait pas quoi faire »

Chacun sa chacune. « Chaque garçon va avec une fille »

C'est l'heure du laitier. « Il est très tôt »

Les grand-mères de l'équipe My little Paris

Les 4 saisons du brunch

Printemps

Paisiblement installée sur une terrasse bucolique à l'ombre des arbres en feuilles, on laisse les saveurs sucrées et salées déambuler tranquillement au fil des heures dans son assiette : œufs brouillés, gourmandises chocolatées, saumon fumé, jus de fruits fraîchement pressés, viennoiseries... à volonté.

L'Entrepôt,
7/9 rue Francis Pressensé, 75014 Paris
Métro Pernety, Tél 01 47 40 07 50
25 € le brunch, réservation conseillée

Automne

Une ambiance cosy à souhait où vous pourrez déguster l'œuf sous toutes ses formes (100 manières de le cuisiner). Notre préféré : le Bénédicte. Servi sur son muffin anglais doré à point, recouvert de sauce hollandaise et de bacon croustillant, il est à se damner. Un brunch comme à la ferme.

Eggs & Co
11 Rue Bernard Palissy, 75006 Paris
Métro Saint-Germain-des-Prés Tél : 01 45 44 02 52
www.cocoandco.fr
Réservation vivement conseillée
Brunch servi du mercredi au dimanche (22€)
Mercredi, Jeudi et Vendredi : ouvert le midi et le soir (12h00-14h30 et 19h30-22h30)
Samedi et Dimanche : service continu de 12h à 16h30

Eté

Il ne vous manque que les cigales pour vous abandonner à la nonchalance du sud le temps d'une matinée. Brunchez sous le feuillage des oliviers centenaires de la halle aux oliviers ou grimpez sur la terrasse et installez vous entre la verdure et les volets bleus.

La Bellevilloise
19-21 rue Boyer, 75020 Paris
Métro Menilmontant ou Gambetta, Tél. 01 46 36 07 07
http://www.labellevilloise.com

Hiver

Le froid cinglant et la nuit qui piétine... Vite, courons nous réchauffer le moral autour d'un brunch entre amis. Une ambiance de vieux club anglais qui donne envie de s'enrouler dans une couverture en cachemire et de rêvasser... Chez DEPUR, c'est comme à la maison.

DEPUR
4 bis rue Saint-Sauveur, 75002 Paris
Tel. 01 40 26 69 66
Métro Réaumur-Sébastopol
Ouvert du lundi au samedi de 08h à 02h (la maison sert à manger et à boire tout au long de la journée), le dimanche de 11h à 16h (brunch à 28 euros). Réservation obligatoire.

Transformer son appartement en beau livre

Vous avez passé des nuits blanches à penser et repenser la déco de votre appartement, des samedis à chiner pour votre maison de campagne, des dimanches à retaper le toit de votre vieille maison d'enfance.

Et puis vient la rencontre ou la rupture qui bouleverse votre vie : vous voulez plus grand, plus loin, plus coloré...votre lieu d'habitation va changer, mais il est plein de souvenirs que vous ne voulez pas oublier.

Le photographe Ricardo Bloch l'a compris. En quelques semaines, il tire le portrait des moindres recoins de votre appartement et les réunit dans un album original baptisé « Lifescape », digne des beaux livres qu'on est fier de poser sur sa table de séjour.

Un cadeau mémorable à faire ou à se faire.

www. ricardobloch.com
Tel : 06 67 75 97 79
Prix sur demande
contact : contact@ricardobloch.com

" La vie, c'est comme la bicyclette :
il faut avancer pour
ne pas perdre l'équilibre. "

Einstein

Exemples des dernières joutes verbales

Les femmes sont-elles plus belles en été ?

Peut-on rallumer les étoiles ?

Aimer un peu est-ce déjà trop ?

Les bonnes choses ont-elles une fin ?

Faut-il brûler les lettres d'amour ?

Faut-il grandir ?

Faut-il finir son assiette ?

Peut-on guérir de tous les mots ?

Demain est-il un autre jour ?

La copie vaut-elle mieux que l'original ?

Faut-il aimer les fous?

Peut-on exister sans vivre ?

Les femmes sont-elles des mecs bien ?

Les chats noirs sont-ils malheureux ?

ASSISTER À UN PROCÈS fou

Plaidoirie du jour
La jupe est-elle
un attribut du pouvoir.

Imaginez. Un bel avocat fraîchement diplômé se tient devant vous, prêt à prendre la parole pour défendre ardemment une cause. Vous vous attendez déjà à une plaidoirie fumeuse portant sur une loi quelconque issue de l'article 225 du code pénal... Ecoutez plutôt cela : « *Mesdames et Messieurs les jurés, je suis ici pour répondre par l'affirmative à une question cruciale : Les femmes sont-elles plus belles en été ?* »

Non, ce spectacle n'est pas le fruit de vos fantasmes mais bel et bien le Concours d'éloquence de la Conférence, qui, dans une ambiance frémissante, met en scène des valeureux candidats pour un jeu de joutes oratoires.

Au fil d'un discours animé, trépidant, qui use parfois d'arguments rocambolesques, ils mettent toute leur énergie à séduire et convaincre l'auditoire, en défendant des causes dont les intitulés sont toujours déconcertants : Faut-il brûler les lettres d'amour ? L'ego est-il un « je » interdit ? Les hommes font-ils mieux l'humour ? Les femmes jouent-elles mieux la comédie ?

Déconcertants certes, mais qu'importe le flacon, pourvu qu'on ait l'ivresse... Tiens, un prochain sujet pour la conférence ?

Infos sur les dates des prochaines joutes verbales
*sur **http://www.laconference.net***
Bibliothèque du palais de justice de Paris
4 bd du Palais
75005 Paris
Métro Saint-Michel

Se faire déménager par des anciens taulards

Le déménagement se fait généralement en 3 actes : douce perspective d'un changement de vie, délicieux dénouement dans votre nouveau petit nid, mais... angoisse du jour J !

Deux scénarios possibles : on se ruine dans un déménagement qui avoisine les 2 000€ ou on se coltine tout son carnet d'adresses pour rameuter les amis en les appâtant avec la promesse de quelques pizzas. Dans le second cas, on inspire un bon coup et on s'attaque à la terrible épreuve du canapé bloqué dans les escaliers. Bref, le calvaire.

Ou pas. Pas si vous contactez Ozanam. Cette association, destinée à aider des demandeurs d'emploi (bien musclés !) en phase de réinsertion, vous permet de déménager au coût modeste de 18€ net de l'heure par déménageur. Il vous suffit de louer le véhicule de déménagement à vos frais et de préparer les cartons, puis vous n'aurez plus qu'à jouer les chefs d'orchestre.

Une fois installée dans votre nouveau petit nid, Ozanam est aussi là pour vos travaux de finition : peinture, menuiserie, carrelage... Une aubaine à ne pas perdre de vue.

Ozanam-Service
153 rue de la Croix Nivert - 75015 Paris
Métro Boucicaut
Tél. 01 55 76 98 99
Chauffeurs avec permis camion disponibles également
Uniquement pour les déménagements Paris intra-muros
Pour vous donner un ordre d'idée, un déménagement
de deux 40m2 dans un 60m2 a coûté à l'un de nos testeurs 230€

ÊTRE L'INVITÉE
d'UN dîNER clANdESTiN

On ne connaît ni l'adresse, ni le menu, ni les autres convives. Seule certitude : la soirée sera magique et les plats exquis. Les dîners underground, tout droit importés des Etats-Unis, s'installent dans les appartements parisiens. Le concept : rassembler dans son salon une dizaine d'inconnus pour partager un dîner de fin gourmet.

Notre favori est le dîner d'*Hidden Kitchen*. Un couple de jeunes Américains passionnés de cuisine vous accueille dans leur appartement et vous propose un menu gastronomique concocté par leurs soins.
Au cours de la soirée, 10 plats prodigieux accordés de vins délicats défilent dans votre assiette, déclamés solennellement comme dans un restaurant étoilé. Les langues se délient peu à peu et vous faites connaissance avec vos voisins de table : peut-être un couple de Boston ou une architecte de New-York, peut-être un frenchy, comme vous, qui s'essaye à quelques mots d'anglais.

Intrigué par un dîner underground entre inconnus ? Écrivez à hkreservations@gmail.com et attendez les instructions : il vous faudra peut-être patienter quelques semaines pour être le prochain frenchy de la *Hidden Kitchen*.

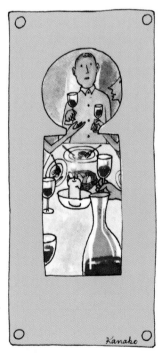

Hidden Kitchen
hkmenus.com/french.htm
Réservations à hkreservations@gmail.com
Prix du dîner : 80€ par personne

PIMENTER

ORGANISER SON PROPRE ADULTÈRE

COMMENT TRANSFORMER SON CONJOINT EN AMANT CLANDESTIN ?

1. Réserver un hôtel qui loue les chambres à l'heure, dans un quartier où l'on ne risque pas d'être reconnue.

2. Se procurer une tenue en cuir.

3. Envoyer par écrit un message énigmatique et sensuel à votre conjoint lui indiquant le rendez-vous.

4. Trouver une excuse infaillible à raconter à son boss pour s'échapper 2h du bureau.

5. Arriver la première.

6. S'efforcer de ne pas lui lancer un « salut loulou! » quand il pénètre à son tour dans la chambre.

7. Au bout d'une heure, quitter discrètement la chambre pendant qu'il s'assoupit en oubliant votre foulard parfumé sur le lit.

8. En le retrouvant plus tard à la maison, faites comme si de rien n'était. Interdiction à tout jamais de reparler de ce moment volé.

CHASSER LE blues
du dimANCHE soir

On ne la voit jamais venir. On gigote le samedi entre amis, paresse le dimanche au lit, et puis, avec le soir qui tombe, la voilà qui pointe le bout de son nez : la petite mélancolie du dimanche soir. C'est sûr, si on sortait s'offrir une douceur culinaire, on retrouverait le sourire. Mais que faire avec 10€ en poche ?

Allez vous réchauffer les babines à *La Famille*, un restaurant de Montmartre qui propose une formule Super Discount tous les premiers dimanches du mois. Pour 10€, on vous sert un menu unique entrée-plat-dessert de cuisine inventive (comme du velouté de Saint-Moret au basilic, des pâtes aux champignons japonais, un crumble de cosmopolitan...) que vous dégustez à table en bavardant avec vos nouveaux compagnons du dimanche soir. Les portes ouvrent à 20h. Nous vous conseillons d'arriver pile à l'heure ou... pile en retard.

Formule du dimanche soir au restaurant La Famille
41 rue des Trois-Frères
75018 Paris
T 01 42 52 11 12
Métro Abbesses
Menus Super Discount à 10€ (entrée-plat-dessert)
tous les premiers dimanches du mois à partir de 20h
(arriver à 19h45). Pas de réservation possible.

Se faire livrer
ses produits frais de Rungis

La météo n'incite pas à sortir avec sa petite robe et son joli panier pour aller au marché. Alors Monsieur Fraicolo s'en charge à votre place.

Et il va même plus loin que chez votre primeur de quartier ; c'est au légendaire marché de Rungis qu'il emporte votre liste de courses pour sélectionner les produits les meilleurs et les moins chers du marché : des légumes bio, des fruits de saison bien juteux, de la viande fraîche et tendre, des roses d'Afrique, de l'épicerie fine...
Il discutaille âprement les prix avec les commerçants, cheminant de halle en halle pour garnir votre panier.
Puis son marché terminé, il enfourche son vélo en bon écolo pour vous livrer votre panier à domicile ou à votre bureau selon vos doux caprices.

Vraiment un chic type, ce Monsieur Fraicolo.

www.fraicolo.fr
Panier minimum : 39€
Frais de livraison : 5,99 € sur Paris et banlieue

Kanako

Prendre une bouffée d'inspiration

C'est là que l'ordinateur Macintosh ou le logiciel Photoshop ont été présentés pour la première fois. C'est là encore qu'un biologiste a décrypté la chimie de l'amour. Aux Etats-Unis on se bat pour en être. Clinton, Starck, Gates s'y sont frottés. Depuis 25 ans la conférence TED se déroule chaque année dans un lieu secret en Californie.

Le principe ? Des visionnaires, créateurs de génies et artistes en herbe se succèdent pour des pitchs de 3 à 18 minutes sur des projets fous qui peuvent changer le monde. Les impératifs : respecter la durée et être brillant. Les objectifs : brasser et stimuler les cerveaux, fasciner et transformer tout un auditoire. La TED donne décidément à réfléchir : sur l'évolution de l'Histoire, des sociétés, voire des galaxies, mais aussi sur soi.

Tout ça en un samedi après-midi... Grandiose.

Retrouvez les dates de la prochaine conférence TEDx Paris sur:
www.tedxparis.com

Nos moments Ted préférés*

Dan Gilbert donne un cours de bonheur à l'assemblée (2004)
Jimmy Wales dévoile le business model révolutionnaire de Wikipédia (2005)
Helen Fisher décrypte scientifiquement le processus amoureux (2008)
Marc Patcher nous révèle « l'art de l'interview » (2008)
Barry Schwartz explique que l'hyper choix est l'ennemi du bonheur (2009)
Bill Gates libère des moustiques porteurs de malaria dans l'assemblée (2009)
Rory Sutherland nous apprend à changer notre perception des choses (2009)
Jamie Oliver emporte le public avec sa « food revolution » (2010)
Mitchell Joachim nous présente la maison du futur (2010)

* à retrouver sur le site Ted.com

TROUVER la lingerie qui va vous changer la vie

Votre silhouette vous cause du souci. Croyez-vous vraiment que votre poitrine peut s'épanouir dans ce balconnet trop petit ? Ou que votre cambrure respire, zébrée par ce brésilien ? Et votre joli ventre arrondi, il en peut-être marre d'être compressé dans ce shorty ?

Avant de passer par la case bistouri, il faudrait peut-être passer par la case lingerie. Elle en est convaincue, Laetitia Schlumberger, une vraie corsetière qui sait reconnaître de la grâce là où nous on ne voit que du gras et sublimer la silhouette la plus mal-aimée de sa propriétaire.

Deux petites heures lui suffisent pour nous retourner le tiroir à lingerie et vous conseiller les formes et les matières des sous-vêtements qui rehaussent, estompent, adoucissent, dissimulent et remodèlent les atouts que la Nature nous a donnés.

Si on veut, elle nous accompagne même au rayon lingerie pour nous concocter en live notre panoplie de dessous idéale.

Contacter Laetitia Schlumberger au 06 20 52 49 66
www.malingeriemerendbelle.com
Séance de 2h à domicile 160€, séance de 4h à domicile et accompagnement en magasin 300€

TEST du CRAYON de PAPIER

Vos seins sont-ils fermes ? Pour y répondre, osez ce test qui nous vient tout droit de nos grand-mères. Poitrine dénudée, positionnez un crayon de bois sous votre sein, à la jonction avec votre buste.

A/ Le crayon tombe, vous êtes parfaite.
B/ Le crayon reste coincé, vous êtes foutue. (Achetez-vous un bon soutien-gorge de maintien et pour vous consoler, dites-vous que nombre de poitrines sublimes ont échoué à ce test.)

BILAN

VOTRE TOP 10 DE L'ANNÉE

1. Votre rencontre de l'année
....

2. La leçon de l'année
....

3. La soirée de l'année
....

4. Le sms inoubliable
....

5. La tenue de l'année
....

6. La honte de l'année
....

7. La phrase qui a tout fait basculer
....

8. L'orgasme qui vous a chaviré
....

9. Le petit pas
....

10. Le grand pas
....

INDEX

Mode

Confier ses escarpins au cordonnier de la Fashion Week..................19
Faire cloner ses vêtements préférés...................................37
Sillonner les stocks secrets de Paris...............................54-55
Savoir dire merci..65
Se faire livrer des petites culottes.................................75
Porter un chapeau créé pour soi......................................90
S'habiller (presque) haute couture..................................102
Avoir un coach vintage..121
Trouver la lingerie qui va vous changer la vie......................148

Déco

Avoir des murs trompe-l'oeil...23
Collectionner les objets tombés du camion...........................41
Se meubler en décors de cinéma......................................49
Être une star d'intérieur...69
Transformer ses enfants en Picasso.................................115
Fouiner des objets de déco..85
Transformer son appartement en beau livre..........................129

Beauté

Maigrir sans régime...26-27
S'offrir une fish pedicure..32
Être sauvée par des agents anti-stress..............................56
Se faire masser les pieds à domicile................................57
Se faire épiler les sourcils au fil.................................70
Se faire masser dans le décor de L'Amant...........................106

Restos-Bars

Dîner dans un resto qui n'a qu'une table............................15
Manger des pâtes vivantes...43
Servir de cobaye à un chef étoilé junior............................61
Déguster un dîner qui voltige.......................................67
Manger une pizza aux truffes..66
Jouer les puristes..72-73
Boire un cocktail dans un petit coin de campagne....................98
Avoir un cocktail à son nom...99
Les 4 saisons du brunch..126-127
Être l'invitée d'un dîner clandestin...............................138
Chasser le blues du dimanche soir..................................142

Petits Plaisirs

Perdre la raison pour un fromage italien............................79
Redécouvrir les légumes oubliés.......................................101
Se payer une tranche d'extase..119
Se faire livrer ses produits frais de Rungis........................145
Avoir son bout de potager...30-31
Avoir un orgasme par semaine...53

Insolite

S'envoyer un mail à soi-même dans 10 ans..........................17
Se confier par téléphone à une inconnue............................24
Louer une piscine privée à l'heure......................................47
Adhérer au Mile high club..62
Arrêter les gaffes alcoolisées..105
Se faire déménager par des anciens taulards.....................137

Culture

Retrouver le cercle des poètes disparus...............................83
Apprendre la chorégraphie de Dirty Dancing.......................96
Piquer des expressions de grand-mère...............................124
Accepter une demande en non-mariage..............................108
Assister à une messe de gospel comme à Harlem..............117
Assister à un procès fou...135
Prendre une bouffée d'inspiration.....................................146

Bonus

Missions   Petites missions faciles 12-13
Amitié   On a tous un(e) ami(e)..........................20-21
Déménager   Briefer son agent immobilier.................34-35
Frissons   Les peurs parisiennes...............................44
Fatale   Adopter le détail qui tue...........................81
Job   Inventer un nouveau métier.......................88
Prescription   Ordonnance pour oublier son ex à Paris........93
Zen   La pause qui fait du bien.........................122
Pimenter   Organiser son propre adultère..................141
Bilan   Votre Top 10 de l'année..........................151

Trésor

VOUS FAIT PARTAGER
4 INSTANTS PRÉCIEUX PARISIENS

L'instant qui précède les retrouvailles
L'attendre dans un petit square à gauche de l'église Saint-Germain-des-Prés. S'assoir sur le banc face à la statue de Picasso et imaginer son arrivée imminente.
Square Laurent Prache, VIe.

Une fugue à l'Opéra
S'enfuir pendant l'entracte en prenant un escalier dérobé seulement connu des initiés. S'arrêter au pied de la statue de la Pythie pour oser une étreinte à l'abri des regards.
Statue de la Pythie, Opéra National de Paris,
8 rue Scribe, IXe.

Un baiser volé sous la pluie
Se faire surprendre par un orage d'été et s'abriter sous la porte cochère d'un hôtel particulier. Juste le temps qu'il faudra pour échanger un baiser de cinéma.
Hôtel Pozzo di Borgo, 51 rue de l'université, VIIe.

Un amour scellé sur le Pont des Arts
Au coucher de soleil, se retrouver pour ajouter son cadenas à ceux qui sont déjà accrochés sur le pont, symboles de l'amour éternel.
Pont des Arts, Ier.

LANCÔME
PARIS

Trésor

Le parfum des instants précieux

Kanako

Venez partager vos instants précieux
avec la communauté My Little Paris sur
le site www.mylittleparis.com/tresor

Et gagnez l'illustration de votre meilleur
instant précieux par Kanako.

CLARINS

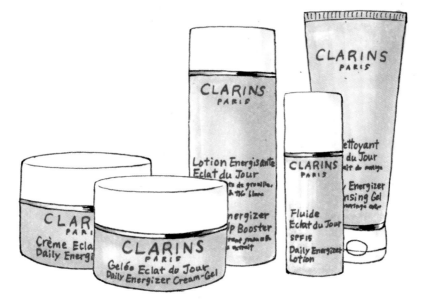

La gamme Eclat du Jour

Les smoothies trendy ? Out.
Les 5 fruits et légumes par jour ? Has been.
Découvrez les cocktails fruités (groseille, ginseng, café vert, figuier de Barbarie...) qui vont donner de l'éclat à votre minois.
Et faites le plein de vitamines !

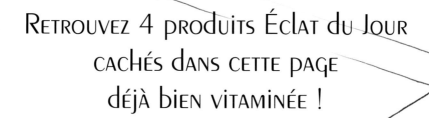

RETROUVEZ 4 produits Éclat du Jour
cachés dans cette page
déjà bien vitaminée !

Remerciements :

Merci à toi, Paris, pour nous inspirer tous les matins.
Merci à la ligne 4 du métro, pour débloquer nos pannes d'inspiration.
Merci à Cédric et à ses olives, pour avoir été notre première pépite.
Merci à la touche « forward », pour avoir permis à la newsletter My Little Paris de grandir si vite.
Merci à F.S., pour avoir accepté ce mystérieux dîner.
Merci à notre éditeur, pour avoir suivi nos idées saugrenues.
Merci à Catherine et Mademoiselle Lily, pour avoir nourri notre univers.
Merci à Amandine, pour toutes les émotions qui sortent de son stylo.
Merci à Anne-Flore, pour faire naître, grandir et aboutir nos idées.
Merci à Céline, notre moteur.
Merci à Bruno, notre repère.
Merci à Kanako, notre étoile.
Et surtout merci à vous, chères lectrices. Nous espérons ne jamais vous décevoir.

Le livre a été réalisé par :

Fany Péchiodat, fondatrice de My little Paris
Amandine Péchiodat, rédactrice en chef de My little Paris
Anne-Flore Brunet, éditrice de My little Paris
Catherine Taret, chef de projet et rédactrice en chef du livre
Ana Webanck, assistante chef de projet
Céline Orjubin, responsable commerciale
Mademoiselle Lilly, directrice artistique du livre - mail : mademoiselilly@gmail.com
Kanako, illustratrice de My little Paris

Éditions du chêne en charge du projet :

Éditrice : Volcy Loustau
Directrice artistique : Nancy Dorking, assistée de Marion Rosière
Relecture-correction : Charlotte Monnier
Fabrication : Amandine Sevestre

CRÉDITS PHOTOGRAPHIQUES
© Florent Drillon : p. 6-7/14/30-31/42/48/50-51/60/71/78/82/84/87-88/
101/103/107/117/128/134/141/144. www.florentdrillon.com

© Mairie de Paris : p. 31/© Matthias Biberon : p. 40/©Anne-Laure Jacquart : p. 47
© Raphaëlle Vidaling : p. 51/© Baudouin : p. 68/© Adam Rootman : p. 75
© Antoine Ricardou : p. 91
© Emilien Cancet : p. 108/© www.e-eglue.fr : p. 115
© Depur : p. 127/© Charlotte Lascève : p. 130-131/© Tedx : p. 147

STYLISME
Elodie Rambaud : p. 30-31/58/78/101/128/144 - http://elodierambaud.com/

Achevé d'imprimer en Espagne par Estella Graficas
Dépôt légal : Octobre 2011
ISBN : 978-2-81230-334-0
Nuart : 34/2496/7-08